ÍNDICE

PRESENTACIÓN

Marcadores del discurso es un cuaderno de autoaprendizaje de ELE que presenta las reglas fundamentales que rigen el uso de los marcadores del discurso en español. Está escrito por Pilar Marchante, lectora de español en la Universidad Ca' Foscari de Venecia (Italia) y profesora de ELE en la Universidad de Zaragoza, y se dirige a estudiantes que poseen ya un nivel avanzado de español (C1). *Marcadores del discurso* consta de diez unidades, cada una de ellas articulada en torno a un tema de interés sociocultural, en las que se presentan las diferentes reglas de uso de los marcadores del discurso en español a través de numerosos ejemplos contextualizados. Además, se ofrecen un buen número de variadas actividades y un solucionario final, en el que se encuentran las respuestas a los ejercicios del libro.

Isabel Alonso

¿QUÉ NO SABES DE CHISTES? BUENO, BUENO... CONECTORES CONVERSACIONALES: PUES, BUENO...

EMPIEZA SABIENDO LO QUE VAS ESTUDIAR:

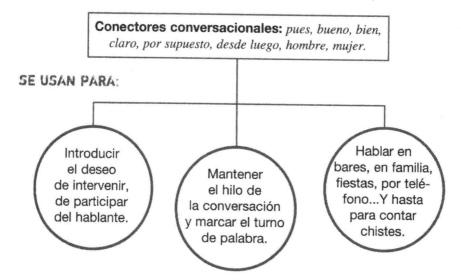

Conectores conversacionales: *pues, bueno, bien, claro, por supuesto, desde luego, hombre, mujer.*

SE USAN PARA:

Introducir el deseo de intervenir, de participar del hablante.

Mantener el hilo de la conversación y marcar el turno de palabra.

Hablar en bares, en familia, fiestas, por teléfono...Y hasta para contar chistes.

MULETILLAS SÍ, GRACIAS.

Lee atentamente las siguientes intervenciones del chat.

¡Bienvenidos al Chat Aula de español! Sala de Humoristas Famosos Españoles

Gila: ¡Hola! Soy un humorista que ha hecho pasar momentos inolvidables por teléfono. ¿Por qué dicen que *pues* es una «muletilla»? ¡*Pues* vaya! *Bueno, pues* para que lo sepa todo el mundo, yo lo uso muchísimo en mis espectáculos.

Eugenio: ¡*Pues* tienes toda la razón, *hombre*! Yo soy otro cómico, catalán, *claro*. ¡Ya está bien de muletillas inútiles, *hombre*! Pues mis chistes empiezan con: «Y saben aquel que diu...» *Bueno, mejor dicho*, «Y saben aquel que dice...»

*La Bombi *: ¡Cállate, **hombre**! ¡Pues calladito estás más guapo! **Bueno, bueno**, desde luego, no hay derecho a tanta marginación, pues yo también fui famosa.

Eugenio: ¡**Hombre...**, **mujer** no seas así! Y sabes aquel que dice «**Mujer**, fuiste famosa en su momento...».

Chiquito de la Calzada: ¡Hola! **Pues** yo soy Gregorio, conocido como Chiquito, humorista y actor cómico. **Pues yo creo que** me hice famoso por mis muletillas.

* Latre*: **Bueno, bueno, bueno**. Y yo soy Carlos. **Bien**, soy un especialista en clonar a famosos, un don camaleónico y, **pues**, me he ganado el afecto de los españoles.

Santiago Segura: **Por supuesto**, Latre. ¡Y qué bien me imitas! ¡**Ah, bueno**! No sé si sabéis que soy un director, de los que más triunfa en taquilla, **pues** los españoles se tronchan con mis muletillas, **pero bueno** algunas son vulgares.

Jaimito: ¡**Hombre**, y yo soy un niño travieso muy famoso! Claro que si os digo mis nombres en todo el mundo, **desde luego** que me reconoceréis. En Alemania, Fritzchen; en Francia, Toto; en Italia, Pierino; en el mundo anglosajón, Little Johnny; ¡Bueno, ya vale con el protagonismo de algunos!

Santiago Segura: **Bien, bien**, me parece muy requetebién. **Bueno** me gustaría decir que todos los que estamos aquí tenemos cosas en común...

Un lepero: **Pues qué bien**, ¿no?... En todos los países hay también chistes sobre alguna región y sus habitantes. En España es Lepe, provincia de Huelva. **Bien**, sus chistes surgen de la gracia del lepero, «golpes» que transmiten alegría.

* Latre*: **Bueno** no hace falta ponerse así. **Pero bueno**, yo lo entiendo, **bueno**, casi. **Por supuesto que** es normal hacernos publicidad. **Bueno**, me voy a clonar famosos.

Gila: **Bueno**, retomando lo dicho, yo uso muchas muletillas. **Bueno**, me voy, ¡Adiós!

¡BUSCA, ENCUENTRA Y COMPARA!

Lee con atención las reglas.

PUES

- Tiene diferentes significados: comentario nuevo, respuesta reactiva, réplica, decepción o sorpresa, mantener el hilo conversacional...
- **Pues + qué bien**: satisfacción irónica; indiferencia: *¡Y a mí que...!*; alivio: *¡Menos mal!*
- **Pues + creo que:** vacilar, opinar.
- Puede tener valor causal, o justificación. Equivale a *porque, ya que, puesto que...*
- Puede tener valor consecutivo. Equivale a *entonces, por consiguiente, por lo tanto, así que...*

BUENO / BIEN

- Comentario nuevo o una respuesta reactiva con diferentes significados: abrir o cerrar una conversación, cambiar, retomar, reformular o autocorregir un tema, rectificar lo dicho.
- *¡Ah, bueno! / Bueno, bueno / ¡Qué bien!: ¡Menos mal!* para mostrar alivio.
- *¡Ya está bueno/bien!: ¡Basta!* para mostrar enfado.
- Si se repite **bien, bien**, denota un acuerdo entusiasta, decidido.
- Si se repite **bueno, bueno**, significa desaprobación, desacuerdo total.
- Puede tener valor concesivo: oposición, disconformidad. Equivale a *aunque, a pesar de que...:* pero + **bueno** (con valor contraargumentativo); si + **bien** (valor culto).

CLARO / POR SUPUESTO / DESDE LUEGO

- Equivalen a *evidentemente, es evidente que, es cierto que.*
- Otros significados: evidencia, certeza, valorar, confirmar o corroborar lo dicho, reiterar el acuerdo entre hablantes.
- **Claro que / Por supuesto / Desde luego que:** valor concesivo: desacuerdo.
- Equivalen a *aunque, a pesar de que, pese a que...*

HOMBRE / MUJER

- Forma apelativa. Vocativo que presenta una relación afectiva entre hablantes: buena, mala, ofensiva... Con un tono amistoso, chistoso, alegre, de sorpresa, de asombro, etc.
- Puede expresar disconformidad, desacuerdo.

! OJO

Hay conectores con valor causal, consecutivo, y concesivo. Usan comas en posición intermedia.

—ACTIVIDADES—

1 ¡CADA OVEJA CON SU PAREJA!

Lee las siguientes conversaciones y escribe el valor correspondiente con una de las opciones.

a. Vacilación.

b. Satisfacción irónica o indiferencia.

c. Cierra, concluye la conversación.

d. Orden, mandato o réplica.

e. Reformula lo dicho previamente.

f. Causa, o justificación.

g. Consecutivo o explicativo.

h. Cambiar de tema.

j. Implica la relación afectiva buena, mala, ofensiva entre hablantes.

i. Retoma un tema interrumpido por otro.

1. —Me duele la rodilla.
   —¡*Pues*, tómate una pastilla!

2. —Sí, Sevilla es bonita.
   —Sí, pero *bueno* retomemos las fiestas.

3. —¡Mañana limpias tú!
   —*Hombre, mujer*, no seas así...

4. —¿El lunes hay clase?
   —No hay clase, *pues* es fiesta.

5. —Hola, ¿qué tal te va?
   —*Bien, bueno*, el bus se me escapa.

6. —¿Es fiesta el lunes?
   —Sí, es fiesta, *pues*, no hay clase.

7. —¿Qué piensas del país?
   —Hombre, *pues* yo creo que va bien...

8. —¿Has comprado todo?
   —Sí, todo... *Bueno*, casi todo.

9. —*Bien*, ya es hora de volver...
   —*Bueno*, pues, ya nos vemos.

10.—¿Sabes que me han puesto un diez?
   —*Pues* qué bien...

2 ¡BUENO, PONGAMOS PAZ!

Lee y completa con una de las expresiones de los recuadros.

¡Claro que sí!	¡Por supuesto que no!	Hombre, si tú lo dices...
Pues depende... (2)	Pero hombre, por favor...	¡Vamos, hombre, qué dices!
Hombre, claro	Mujer, no sé... (2)	Bueno, bueno... Eso no es así
¡Desde luego, mujer!	Pues bueno, pues vale...	¡Hombre! ¡Cómo lo sabes!

¡Hola! Espero que podáis darme más expresiones para ampliar mi «colección»...

Acuerdo total: *desde luego, por supuesto...*

_____

_____

_____

Acuerdo parcial: *bueno, puede ser...*

_____

_____

_____

Desacuerdo total: *pues no...*

_____

_____

_____

Desacuerdo parcial: *mujer, sí, ya, pero...*

_____

_____

_____

¡Gracias por ampliar mi lista!

Saluditos.

Philippa.

¡PUES VAMOS ALLÁ!

Completa con la opción correcta la entrevista a Estrella Cano.

Periodista:	[1] *Mujer / Bien / Hombre*, ¿cómo surge el Taller del Chiste?
Estrella Cano:	[2] *Bueno / Claro / Mujer*, decidí que era una buena idea hacer pasar un rato agradable a la gente. Y pensé que, [3] *bien / claro / mujer* la más indicada era yo, pues me paso el día contando chistes.
Periodista:	[4] *Bien / Desde luego / Hombre*, ¿podría entonces contar alguno?
Estrella Cano:	[5] *Sí pues / bien / hombre*, [6] *hombre / por supuesto / pues*: "Está el alcalde dictando a la secretaria y le dice: Convoca una reunión para el viernes. Y la secretaria le pregunta: Señor, ¿viernes es con «v» o «b»? A lo que él responde: [7] *bien / mujer / claro*) aplázala para el lunes".
Periodista:	En este país se confunde el humor con la broma. ¿Cuál es el antídoto?
Estrella Cano:	[8] *Pues / Bien / Mujer*, yo creo que las cosas hay que tomárselas con humor. La risa es un antiestrés y una auténtica terapia.
Periodista:	¿Siguen existiendo cosas de las que es muy difícil reírse?
Estrella Cano:	[9] ¡*Bien / Pues / Bueno* sí [10] *mujer / bien / desde luego*!
Periodista:	[11] *Bien / Claro / Hombre*, ¿cuál es la mejor técnica para hacer reír?
Estrella Cano:	[12] *Mujer / Bueno / Bien*, tener gracia y meterse en el personaje.

(Adaptado de: http://actualidad.terra.es/provincias/murcia/articulo/
suegra_personajes_propensos_chiste_539572.htm)

¡LA PRUEBA DEL DELITO!

Completa el correo electrónico con una opciones de los recuadros.

Bueno (5)	Por supuesto (2)	Desde luego
Pues (6)	Claro (2)	Mujer
Bien	Hombre (2)	

De:	CHISTES<saberhacerchistes@chistes.net>
Para:	PRACTICA<aprendespañol@universal.com>
Asunto:	Una de chistes

¡Hola! Te mando un adjunto con un texto de cómo se cuentan los chistes en España. Espero que te guste y aprendas. ¡Hasta pronto!

Una de chistes:

(1)_____ empecemos sabiendo que no cualquiera sabe contar chistes, o interpretarlos, (2)_____, no es sólo saberlos, ¡y ya está! (3)_____, para que los españoles se partan de la risa, (4)_____ hay que tener gracia y, (5)_____, (6)_____, (7)_____, lo que es salero, mucho salero, sobre todo, (8)_____, para contar una buena historia y (9)_____ hacer reír a la gente... Mi padre siempre me decía: «¡(10)_____, entiéndelo! Lo tuyo no son los chistes». ¿Y cuál es tu caso? (11)_____, yo te cuento el mío... Yo, (12)_____... (13)_____... Yo, (14)_____, chispa, pues no... No tengo ese don, (15)_____, que no puedo contarlos con ese salero que a otros les caracteriza... ¡(16)_____ (17)_____, no todos nacen con ese humor! ¡(18)_____, (19)_____ que no! (20)_____, qué injusta es la genética...

(Adaptado de: http://actualidad.terra.es/provincias/murcia/articulo/
suegra_personajes_propensos_chiste_539572.htm)

5 ¡EL MAR ESTÁ REVUELTO!

Lee los siguientes chistes y escribe para cada valor su correspondiente conector.

Dos amigos se encuentran. Uno, Gabriel, va y le dice al otro:

—¡(1)(Forma apelativa. Sorpresa) _____, María! ¿Qué es de tu vida?

—(2)(Respuesta reactiva) _____ mira, ahora me dedico a la lógica.

—¡Anda! ¿Y eso qué es?

—(3)(Mantiene hilo conversación) _____ se trata de... (4)(Reformula. Autocorrige), _____ mejor te lo explico. Tú eres ecologista, ¿verdad?

—Sí, (5)(Forma apelativa. Asombro) _____, (6)(Confirma lo dicho). _____.

—Entonces te gustan los animales, (7)(Evidentemente) _____.

—(8)(Respuesta reactiva) _____ sí. (9)(Confirma. Reitera) _____. Por ejemplo, los delfines.

—Sí. Y, (10)(Reitera el acuerdo) _____, si te gustan los delfines, también te gustará el mar.

—(11)(*Respuesta reactiva*) _____ sí, (12)(*Forma apelativa. Asombro*) _____, voy siempre a la playa.

—Y, (13)(*Cambia de tema*) _____, también te gustan los yates.

—Sí, si pudiera...

—(14)(*Evidentemente*) _____, ahora imagina que tienes un yate lleno de chicas. ¿A qué te gusta?

—¡(15)(*Forma apelativa. Irónico*) _____, (16)(*Confirma lo dicho*) _____ que sí!

—(17)(*Cierra la conversación*) _____,

—(18)(*Valor consecutivo*) _____ esto es la lógica, sabiendo que eres ecologista deduzco que te gustan las chicas.

Total que se despiden, y luego Gabriel se encuentra con otro amigo:

—¡(19)(*Forma apelativa. Sorpresa*) _____, que casualidad! ¡Acabo de ver a María!

—¡Ah! ¿Y qué es de su vida?

—(20)(*Respuesta reactiva*) _____ ahora se dedica a la lógica.

—¡Ah...! ¿Y que es eso?

—(21)(*Respuesta reactiva*) _____..., te lo explico. ¿Tú eres ecologista?

—(22)(*Forma apelativa. Asombro*) _____, (23)(*Vacilar. Opinar*) _____, creo que la verdad no...

(Adaptado de: http://chistes.st/chiste/categoria/lgica176350.html)

6 ¡BUENO... CUENTA EL CHISTE!
Lee y completa con el conector adecuado.

A. ¡Venga que os cuento un chiste muy bueno! (1) *(Comentario nuevo)* _____ (2) *(Retoma el tema y lo abre)* _____, esto es que llega un profesor y le pregunta a un estudiante que se llama Luisito: «(3) *(Oposición, disconformidad)* _____, Luisito, siempre llegas tarde, (4) *(Enfado)* _____, ¿no podrías ser más puntual?» A lo que Luisito le responde: (5) «*(Respuesta reactiva)* _____ (6) *(Rectificar lo dicho, autocorrección)* _____, podría... ¡Pero se me haría el día tan largo...!»

B. (1) *(Abre la conversación)* _____, (2) *(consecutivo: entonces, así que)* _____, esto es Jaimito que va y le pregunta a la profesora: «Maestra, ¿usted me castigaría por algo que yo no hice?». Entonces ella va y le dice: (3) «*(Confirma, corrobora)* _____ que no, Jaimito.» A lo que Jaimito le responde: «Ah, (4) *(Satisfacción irónica, alivio: ¡menos mal!)* _____! Porque no hice los deberes».

C. [1] *(Comentario nuevo)* _____ esto es un chiste de Eugenio que, [2] *(Confirma: evidentemente, es evidente que)* _____, empieza con el mítico «*Y saben aquel que dice*» de un tío que busca trabajo y el gerente de una empresa le dice: [3] «*(Abre la conversación)* _____, usted entrará ganando mil pesetas, seis euros y más adelante le subiremos a tres mil, a dieciocho euros». Y el otro entonces va y le contesta: [4] *(Acuerdo poco entusiasta)* «¡**Ah,** _____! [5] *(Vacilar, opinar, respuesta reactiva)* _____ oiga ya volveré más adelante».

D. A ver, aquí va uno del taxi que no llega, y entonces en la central suena el teléfono, y va el cliente y pregunta: «¡**Pero** [1] *(Disconformidad, réplica)* _____! ¿Qué pasa con el taxi que pedí, [2] *(Enfado, asombro)* _____? ¡Mi avión sale a las seis!» A lo que en la central le contestan: [3] «*(Cambio de tema)* _____, ese siempre se retrasa...». Y el cliente va y dice: [4] «*(Valoración: queja)* _____, como no venga se retrasará seguro...¡ [5] *(Respuesta reactiva: réplica)* _____ yo soy el piloto!»

OYE, MIRA, NO DIGAS PALABROTAS...
CONECTORES CONVERSACIONALES:
VAMOS, VALE...

EMPIEZA SABIENDO LO QUE VAS ESTUDIAR:

> **Conectores conversacionales:** *vamos, vale, oye / oiga, mira / mire.*

SE USAN PARA:

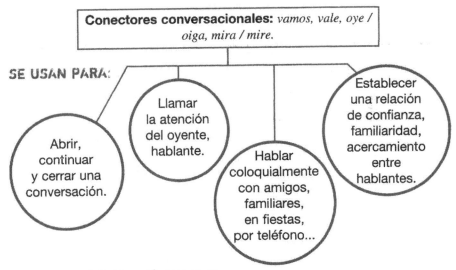

- Abrir, continuar y cerrar una conversación.
- Llamar la atención del oyente, hablante.
- Hablar coloquialmente con amigos, familiares, en fiestas, por teléfono...
- Establecer una relación de confianza, familiaridad, acercamiento entre hablantes.

LENGUAJE JUVENIL SÍ, GRACIAS.

Lee atentamente las opiniones del foro.

MSN Messenger

Agregar   Enviar   Enviar archivo   SMS   Correo

¡Hola! **Mira**, necesito un texto con palabras en jerga juvenil como *mola, guay, ¡Ni de coña!*, etc. He estado buscando por Internet y **oye que** no encuentro nada. Mi emilio es jjuvenil@textos.com, ¿**vale**? ¡Muchas gracias! Diana.

¡Hola, Diana! **¡Vamos, vamos! Oye**, pero si esas palabras son de mi lejana juventud. **Vale bueno**, la jerga auténtica la puedes encontrar en cualquier Chat juvenil o Foro. Otra opción es que consultes el cheli, **vamos es decir** la jerga de Madrid. Por ejemplo, *tronco* (amigo), *¡a tomar por saco!* (enfado), *¡qué puntazo!* (¡qué idea!). Un saludo.

¡Hola Diana! *Mira*, Carmencita tiene razón, *oye*, pues el cheli te puede ayudar mogollón. *Pero vamos*, también puedes consultar gitanismos, el caló o, *vamos,* el lenguaje del hampa: *chaval* (chico), *canguelo* (miedo), *cañí* (gitano)... Saludos. Paquito.

¡Hola a los dos! *Vamos a ver*, todo lo que habéis dicho lo sé. ¡*Vale, eh, vale!* *Vamos, hombre*, pedí textos no teoría... Bueno, de todos modos, muchas gracias. Diana.

(Adaptado de: http://cvc.cervantes.es/foros/leer1.asp?vld=118682)

¡BUSCA, ENCUENTRA Y COMPARA!

Lee con atención las siguientes reglas.

VAMOS / OYE / OIGA / VALE / MIRA / MIRE

Son conectores conversacionales que llaman la atención del oyente, se usan antes de introducir una pregunta y, además, tienen su propio equivalente:

- Enfado, amenaza, desacuerdo, concesión, rechazo, réplica, crítica. Se usan en posición inicial. A veces, si se repiten, van entre comas.

  — *¡Vamos, vamos!* / *¡Vamos, hombre!*: protestar, criticar, rechazar ideas.
  — *Vamos a ver*: preparar una crítica, no estar de acuerdo.
  — *Pero + vamos* / *Bueno + vamos*: *aunque, a pesar de que.*
  — *Vale que..., pero*: estar de acuerdo, pero...
  — *¡Vale, eh, vale!* / *Pues ya vale, ¿eh?*: protestar, amenazar.
  — *Ya vale* / *Vale ya*: protestar, ya es suficiente, ¡basta!
  — *Mira, mira* / *Oye, oye...*: enfadarse, no estar de acuerdo.
  — *Mira por dónde* / *Quién fue a hablar*: replicar, criticar.

- Explicación, corrección, aclaración, demostración, dar información. Se usan en posición inicial o intermedia. A veces, se acompañan de comas:

  — *Vamos*: lo que se quiere decir es, es un decir. Equivale a *encima, incluso.*
  — *Vamos + que*: lo que se quiere decir es, querer añadir ideas. Equivale a *además.*
  — *Vamos + o sea* / *es decir*: dicho con otras palabras, dicho de otro modo.
  — *Vamos a ver*: aclarar, corregir, ir por partes.
  — *Vale bueno*: entrar en materia, aclarar que.

— *Vale / Vale decir:* demostremos que. Equivale a *entonces, es decir, esto es*.

— *Mira / Mire / Oye / Oiga (que):* toma/e nota; date / dése cuenta, escúchame / escúcheme.

• Acuerdo, conformidad, aceptación, aprobación. Exhortación, ánimo:

— *¡Vale!:* hecho, comprometerse, dar la palabra a alguien.

— *Vale bien, vale bueno:* sí, de acuerdo.

— *¿Vale? / Vale, vale:* ¿de acuerdo?, bien.

— *Vamos, vamos:* ¡ánimo y al toro!, ¡ánimo, valor!

• Autorreflexión. Conclusión del tema. Despedida familiar. Van en posición final.

— *Vamos...:* reflexionar, vamos a razones.

— *Vamos a ver...:* pensar.

— *Vamos + que:* terminar diciendo que.

— *Vale:* bueno adiós, hasta luego.

— *Y vale:* ya está.

— *Mira / Mire / Oye / Oiga...:* reflexionar, preguntarse.

ACTIVIDADES

1

¡CADA OVEJA CON SU PAREJA!
Lee y une el valor correspondiente a cada expresión.

1. Mira lo que haces / Mira a ver...	a. Advertir al oyente que molesta.
2. Vamos al caso...	b. Expresar despreocupación por la amenaza oída.
3. ¡Mira como tiemblo!	c. Exclamación irónica para hacer creer como absurdo lo que se ha dicho.
4. Vale lo que pesa (en oro)	d. Exagerar con humor el valor de la persona.
5. Mira lo que se habla...	e. Avisar a alguien para que reflexione.
6. Vamos a llevarnos bien...	f. Dejar lo secundario y pasar a tratar lo principal.
7. Mira quién habla...	g. Valorar las cualidades de personas o cosas.
8. El que vale, vale.	h. Llamar la atención sobre algo y enfatizarlo.
9. ¡Mira tú!	i. Reprochar a alguien el mismo defecto que se critica en otra persona.
10. Mira (tú) / Mire por cuánto.	j. Tener cuidado con lo que se dice, pues puede provocar réplica o reacción violenta de alguien.

OYE, OYE, ¡PERDIDOS NO!

Lee y completa la entrevista con los conectores de los recuadros.

Mire (3) Oiga (3) Vale (3)

Vamos (4) Vamos que (2) Oye

Vamos o sea Vamos, vamos Vale bueno

Vamos a ver

Ha estado con nosotros... Francisco Umbral

Periodista: Bien. Pues en esta ocasión vamos a hablar de lenguaje, ¿qué piensas?

F. Umbral: (1) _____ usted, el orgullo de España está en la diversidad.

Periodista: ¿Qué opinas de la jerga, (2) _____, del lenguaje usado en la calle?

F. Umbral: Pues creo que, (3) _____, un idioma se hace fuerte y rico por la diversidad.

Periodista: (4) _____, ¿crees que los conceptos de raza y lengua son uno?

F. Umbral: (5) _____ usted, un país hace raza y lenguaje, (6) _____ son dos multitudes.

Periodista: Bien, ¿Qué es el cheli? ¿De dónde proviene?

F. Umbral: (7) _____ usted, del lenguaje callejero madrileño ¿No lo sabe? (8) _____, _____.

Periodista: (9) _____, ¿utilizas el cheli por amor?

F. Umbral: (10) _____ usted, el cheli ya no se llama cheli. (11) _____ desapareció. Los argot han evolucionado mucho (12) _____ tendría que escribir otro diccionario.

Periodista: ¿Podrías citarnos algunos ejemplos?

F. Umbral: (13) _____, *buga*, el coche, *Titi*, una chica, y *El menda* el que habla.

Periodista: Bien, ¿existen otros argot o jergas en España?

F. Umbral: (14) _____ usted, por supuesto. La jerga por antonomasia, es el hampa, (15) _____, el habla de los estratos más bajos.

Periodista: (16) _____, pero ¿nos podrías dar un par de ejemplos?

F. Umbral: (17) _____ usted, son palabras que todos conocemos. ¡(18) _____, hombre!

Periodista: (19) _____, pero ¿nos das algunas palabras para hacernos una idea?

F. Umbral: (20) _____, *pasma, madero, la policía, chorizo, mangui,* ladrón...

Periodista: Vale. Gracias por este encuentro.

VALE YA, ¡PONGAMOS PAZ!

Lee el siguiente texto y sustituye las expresiones en negrita por un conector.

GUÍA CHELI PARA EL PERSONAL

Que si pillas algo del tema, (1) **dicho con otras palabras** _____, que si entiendes algo. (2) **Toma nota** _____, profesionales de distintas ramas y, claro, los jóvenes, usan su propia jerga para comunicarse. (3) **Esto es** _____, tus ojos se desorbitan y tus pabellones auditivos buscan sonidos reconocibles. (4) **Me estoy preguntado** _____, ¿de qué raja, habla, el tío ese? (5) **Lo que quiero decir exactamente es que** _____ si no te enteras, te damos unas claves. Y, (6) **escúchame bien** _____, en caso de duda consulta un diccionario cheli fiable, (7) **dicho con otras palabras** _____, Umbral o Ramoncín. (8) **Date cuenta de que** _____ los términos deben entrar en tu cabeza, *olla, bola, tarro, pelota.* Que sales por la noche de *baretos,* de bares, el sufijo –et@ para todo. A saco tus *colegas,* tus amigos y tú, (9) **dicho de otro modo** _____, la peña, tu basca. Si *te pones de cerveza hasta las orejas,* (10) **es decir** _____, borrachera total. Di que *te has pillado una castaña, tajada, melopea, moña...* Y a la mañana siguiente, sin dinero. No *hay pasta, parné.* (11) **Date cuenta** _____, de resaca, estás que no te enteras. Y, (12) **encima** _____, crees que has sido el típico pesado que no hace más que *dar la chapa,* (13) **Lo que quiero decir es que** _____ has sido un *tostón, un pelma, un plasta.* (14) **¡Ya basta de críticas!** _____. (15) **De acuerdo** _____. Medidas de urgencia. (16) **Escúchame bien** _____, cómo te enfrentas el lunes a los colegas en clase, si decides no ir, co-

parás, harás pellas, novillos... [17] **Entonces** _____, los viejos te trincarán, te pillarán y *tendrás movida* en tu *queli, choza,* [18] **dicho con otras palabras** _____ en tu casa. [19] **Aunque** _____ lo tienes *chungo,* pero que muy mal, te lo dice *una menda, un amiguete:* [20] **¡Ánimo** _____ chaval!

(Adaptado de: http://www.terra.es/joven/articulo/html/jov691.htm)

 ¡VAMOS, VAMOS ALLÁ!
Lee la siguiente conversación y elige la opción correcta.

Encuentros: *Rubén y yo parábamos en la Taberna del Lobito y un día encontramos a una amiga...*

Pepe: Hola, Lola, [1] *oye / vale,* ¡qué alegría verte!

Lola: Hombre, [2] *vale / oye,* ¿qué tal? Hace tanto tiempo que...

Pepe: [3] *Vamos / Mira,* te presento: este es Rubén, un amigo.

Lola: Bueno, pues estoy con esta gente. Vamos a la disco. Si os animáis, pues os venís.

Pepe: ¡Ah, [4] *vale / vamos*! Pues no tenemos planes... [5] *Oye / Vamos* tengo *buga,* podéis venir.

Lola: [6] *Mira / Vale,* yo voy con un amigo. Bueno, ellas se van, entonces, contigo en tu coche y nos vemos allí, [7] *¿vale / oye*?

Pepe: Llegamos. [8] *¡Vale / Vamos,* las *titis* se bajan del *buga* como locas!

Lola: [9] *Oye / Vamos o sea,* ¿qué pasa? ¿Ha venido mucha peña en el coche?

Pepe: Sí, [10] *vamos, vamos / vale, vale.* ¡No veas la película que se ha montado!

(Adaptado de: http://perso.wanadoo.es/faustus/gratuita.htm)

 ¡LA PRUEBA DEL DELITO!
Lee el texto y completa con uno de los conectores de los recuadros.

Mira (2)	Oye que	¿Vale?	¡Vamos, vamos!
Pero vamos a ver	Vale bueno	Vamos, hombre	Vamos que
Oye	Pero vamos	Vamos	

MI ARGOT, MIS EXPRESIONES «POPULARES»...

(1) *(Explicación, demostración)* _____ _____, empiezo. Mi argot, mis expresiones que uso en España con mi super peña, como: «os digo *en plan colega* que esto no *mola*, que no se nos deja *flipar*»... (2) *(Dar información, explicación)* _____ las echo de menos cuando hablo en mi lengua, (3) *(Pedir acuerdo)* ¿ _____?, ¿cómo puedo traducir? (4) *(Explicación, aclaración)* _____ _____ no es sólo hablar un idioma correctamente, sino sentirte *da buten, a gusto*, (5) *(Autorreflexión)* _____... Porque cuando un extranjero va a España y escucha: «Si no nos bajan los precios de *las movidas*, *descarao*, *fijo* que seguiremos con el sistema de *colarnos por la cara* y, *mendas*, nos enrollamos montán- donos algo como hace todo Dios», pues el pobre no entiende y piensa... Pues esto no está en el libro de español... ¿Que querrá decir?... (6) *(Réplica, crítica, aclaración, concesión)* _____ _____, nadie nos explica que *las movidas* son las fiestas, reuniones de amigos, que *descarao, fijo* es seguro, que *colarse por la cara* es entrar y no pagar, que *nos enrollamos* es estar de acuerdo y que *montar algo* es crear, y *todo Dios* no se refiere al de la religión sino a todo el mundo... (7) *(Réplica, crítica. Aparece repetido)* ¡_____, _____! (8) _____ *(Dar información, aclaración)*, a mí, a veces, me parece que, (9) *(Rechazo, réplica, desa- cuerdo)* _____, _____ que hablo como un robot o un cursillo de idiomas grabado en cinta, (10) *(Autorreflexión)* _____... (11) *(Concesión)* _____ _____, todas esas «imperfecciones» de un idioma en el fondo lo hacen divertido y con personalidad. Así que, bueno, el argot español me cuesta hacerlo «mío», aunque sepa que significa, (12) *(Auto- rreflexión)* _____...

(Adaptado de: http://www.spaniards.es/comment/12875/
Mi-argot-mis-expresiones-populares-vulgarismos)

¡EL MAR ESTÁ REVUELTO!

Lee atentamente la siguiente entrevista y pon a cada valor su correspondiente conector.

UN PROGRAMA DE RADIO

Una esforzada locutora trata de intelectualizar al personal con la ayuda...
(1) *(Explicación. Demostración)* _____ , la ayuda de un invitado culto y moderno...

Invitado: (2) *(Escúchame)* _____ , ¿cuándo hablo yo?

Locutora: ¡Chiss, silencio...! (3) *(Réplica, crítica)* _____ **que** estamos en antena...

Invitado: ¡Pablo Reguero!.... ¡(4) *(Dar información)* _____ , tenía que decirlo ya!

Locutora: Sí, (5) *(Aceptación)* _____ ... Pablo, buenas tardes.

Invitado: Pues no sé yo si son muy buenas tardes, (6) *(Corrección, aclaración)* _____ . Porque mientras que venía para aquí, no se veía nada, ¡qué niebla, tía...!

Locutora: (7) *(Escúchame)* _____ , Pablo... (8) *(Aclaración)* _____ a ceñirnos al juego. Se trata de ir acertando el sentido de las palabras que hemos elegido. Hoy hablaremos de jergas.

Invitado: Bueno, (9) *(Acuerdo. Aceptación)* _____ . (10) *(Explicación)* _____ , es que siempre traéis a profes y tíos *chungos*...

Locutora: Entonces, Pablo atento... que (11) *(Exhortación. Ánimo)* _____ allá. Si te dicen... *conspicuo*... y te agradecería que no me interrumpieses.

Invitado: ¡(12) *(Réplica, crítica)* _____ ! ¡A sus órdenes, jefa!

Locutora: Para *conspicuo* tienes: A. Agudo, B. Sagaz, C. Picante, D. Sobresaliente.

Invitado: (13) *(Demostración)* _____ , (14) *(Acuerdo)* _____ . Yo creo que la C... Picante, como la del tercero.

Locutora: (15) *(Desacuerdo. Se repite)* _____ , _____ ... Así que tú crees que *conspicuo* significa picante...

Invitado: ¡[16] (*Réplica. Enfado. Escúchame*) _____ tía no me cortes tanto! que yo necesito estar relajaoo.

Locutora: Pues lo correcto es «sobresaliente». En fin, Pablo...

Invitado: Tía que *palabrejas* te buscas. [17] (*Conformidad, aceptación*) _____, pero ahora me vas a dejar a mí...

Locutora: [18] (*Enfado. Réplica*) _____, di la palabra ya, que los oyentes esperan y se acaba el tiempo.

Invitado: Ahí va... *Chorbo*.

Locutora: ¿Pero es jerga, no?

Invitado: [19] (*Ánimo. Autorreflexión*) _____ que eligen los oyentes desde sus *cuevas*... A. Novio, B. Tembloroso, C. Ayudante y D. Enredador... ¿Tú que dices, locutora?

Locutora: Yo creo que la D.

Invitado: No tía, no... quiere decir novio...

POR CIERTO, ME ENCANTA EL VINO.
CONECTORES DISGRESORES:
POR CIERTO, A TODO ESTO...

EMPIEZA SABIENDO LO QUE VAS ESTUDIAR:

> **Conectores digresores:** *por cierto (que), a todo esto, a propósito (de), dicho sea (de paso), otra cosa, al respecto.*

SE USAN PARA:

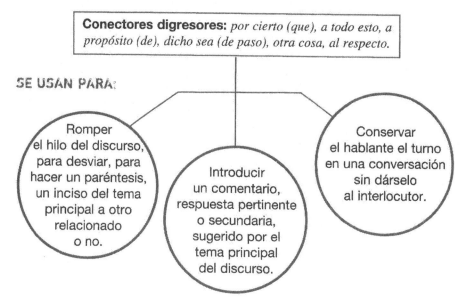

Romper el hilo del discurso, para desviar, para hacer un paréntesis, un inciso del tema principal a otro relacionado o no.

Introducir un comentario, respuesta pertinente o secundaria, sugerido por el tema principal del discurso.

Conservar el hablante el turno en una conversación sin dárselo al interlocutor.

VINO SÍ, GRACIAS.

Lee atentamente el siguiente blog.

EL ENOTURISMO EN ESPAÑA

El llamado Enoturismo recorre viñas, bodegas y museos. *Por cierto*, un turismo que está redescubriendo la riqueza de los pueblos, la belleza de las bodegas como auténticas obras de arte.

A todo esto, son muchos los que viajan sólo para beber vinos de fama o buscan vinos ocultos, esos que el cultivador se reserva con amor y arte, esto es, joyas de los grandes santuarios, una forma exclusiva de vivir.

Por cierto que estas rutas del Turismo del Vino surgieron impulsadas por grandes reservas como Francia, Italia, España, Portugal, Grecia..., países que organizaron la fiesta «denominaciones de origen» de mayor nombre y universales: Jérez, Rioja, Ribera, Penedés, Viñas del Vero y tantos otros.

A propósito del vino, dice el refranero, que es el gran compañero de viaje, pues con él es más intensa la cercanía, la calidad y la amistad. ***Dicho sea de paso***, en el vino se condensa el calor del sol, la dulce brisa, aromas, paisajes, colores... Y la mano que los transforma la uva en mosto, el mosto en vino, el vino en amor...

Otra cosa, entre las zonas predilectas, La Rioja, La Ribera y Jérez se imponen sin dificultad. ***Dicho sea,*** cualquier fin de semana es bueno para hacer un turismo que ofrece uno de los grandes secretos de la felicidad humana.

(Adaptado de: http://www.visitingspain.es/blog/actualidad-y-enoturismo-en-espana-el-enoturismo-en-espana.html)

¡BUSCA, ENCUENTRA Y COMPARA!

Lee con atención las reglas.

RECUERDA

Este tipo de conectores se usan en el lenguaje escrito, en posición inicial (detrás de un punto y delante de una coma) y, a veces, en posición intermedia (entre comas) introduciendo una digresión, interrupción, desviación, circunloquio, paréntesis, inciso. Ahora bien, *por cierto que*, se sitúa en posición inicial e introduce una oración.

POR CIERTO (QUE)
- Equivale a *ciertamente / viniendo* al caso de lo que se dice.
- Indica que lo dicho sugiere al interlocutor un comentario lateral o secundario, una desviación.
- Se usa como apoyo enfático en las respuestas: *Sí / No, por cierto.*
- Es el conector más frecuente tanto en un registro formal como informal.

A TODO ESTO
- Equivale a *en estas circunstancias / entre tanto, por lo que se refiere a, en lo que respecta a.*
- Interrumpe el comienzo de un tema, presentando o solicitando una información ya conocida, es un circunloquio, un paréntesis, un inciso.
- Es más usado en el discurso oral (registro informal).

A PROPÓSITO (DE)

- Equivale a *acerca del tema, con respecto al tema, respecto del tema*.
- Indica que lo que se dice a continuación es adecuado, oportuno y está sugerido por lo que se acaba de oír.
- Es muy frecuente en la conversación.

DICHO SEA (DE PASO)

- Equivale a *aprovechando la ocasión, a este respecto, dicho sea entre paréntesis, entre paréntesis sea dicho*.
- Presenta un comentario que desvía el tópico general del discurso por algo dicho anteriormente.

OTRA COSA

- Equivale a *se puede añadir que / además*.
- Se añade un nuevo comentario sin relación con el anterior.
- Se usa sólo en el discurso oral (registro informal).

AL RESPECTO

- Introduce sin pausa la información y no va seguido del tópico; esto ocurre cuando se acaba de mencionar el elemento en cuestión.

!

OJO

De propósito significa hacer algo deliberadamente / con intención a alguien y es una estructura preposicional diferente del conector adverbial a propósito.

——ACTIVIDADES——

1 **¡CADA OVEJA CON SU PAREJA!**
Lee y completa con las definiciones que aparecen al final del texto.

BREVE CURSO DE CATA

¿Qué es realmente entender de vino? Es conocer una parte de sus propios gustos. (1) _ _ _ _ _ _ _ _ _ _ _ _ tema, nunca oí decir a nadie que no entiende de «leche»; en cambio, nos avergonzamos cuando nos preguntan cómo está un vino.

(2) _____, las herramientas para analizar un vino son nuestros sentidos y la cata. (3) _____, debemos diferenciar degustación y cata, pues cuando degustamos disfrutamos de sus cualidades. Sin embargo, cuando catamos estudiamos y enjuiciamos su calidad. (4) _____, si descorchamos una botella de espumoso o de un vino con aguja, el sonido carbónico indica la presión que se ha mantenido en la botella. (5) _____, los vinos espumosos y de aguja también se pueden «oír» en la copa y apreciar a través de la vista.

(Adaptado de: http://www.wikilearning.com/breve_curso_de_cata-wkccp-1941-1.htm)

1. Sugerencia oportuna. Dícese de *acerca del tema, en relación con el tema*. 2. Comentario lateral, secundario. Dícese de *venir al caso de lo que se dice*. 3. Información que ya se debería conocer. Dícese de *entre tanto*. 4. Dícese de *aprovechar la ocasión*. 5. Un nuevo comentario añadido sin relación con el anterior.

2 A TODO ESTO, ¡PONGAMOS PAZ!
Lee la siguiente noticia y sustituye las expresiones en negrita por su correspondiente conector.

¡ALGUNAS COSAS SOBRE EL CAVA!

Se denomina «cava» a los vinos espumosos producidos según el método tradicional usado en la «Región del Cava», cuyo núcleo de producción es Sant Sadurní d'Anoia (Cataluña). Otras regiones son Aragón, Navarra, Rioja, País Vasco, Valencia y Extremadura. (1) ***Acerca del tema*** _____ las marcas más famosas, son: Codorníu, Freixenet, Raimat, Royal Carlton, Torre Oria, Sumarroca...

(2) ***Viniendo al caso de lo que se dice*** _____, coloquial y erróneamente se le llama champán, pero son diferentes. El método de producción es similar, pero en el champán se denomina «Champenoise» y en el del cava «Método tradicional», (3) ***aprovechando la ocasión de lo que se está hablando*** _____, consiste en un proceso con diferentes fases: *la*

vendimia (uva madura recogida), *el prensado* (se obtiene el mosto), *el desfangado* (eliminación de tierra y hojas del mosto), *la fermentación* (transformación del mosto en alcohol), *el tiraje* (llenar y cerrar herméticamente), *la clarificación* (girar las botellas diariamente), *el degüelle* (congelar el cuello de la botella), *encorchado* y *etiquetado*.

[4] **Se puede añadir que** _____, el Brut Nature, es uno de los más consumidos por su escaso contenido en azúcar y se acompaña con aperitivos. [5] **En estas circunstancias** _____, el cava se debe mantener dentro de la cubitera, y se debe servir en dos veces, ya que en la primera hay una presión excesiva.

(Adaptado de: http://revista.consumer.es/web/es/20021201/actualidad/analisis1/)

3 ¡LA PRUEBA DEL DELITO!
Completa el texto con uno de los conectores de los recuadros.

Dicho sea de paso	Otra cosa	Por cierto que	A propósito de

A todo esto	Por cierto	A propósito	Dicho sea

CÓMO SERVIR EL VINO EN LA MESA

¿Qué vino se debe servir primero?, ¿cuál es la temperatura óptima?, ¿qué copas se deben elegir en cada ocasión?... [1] _____ más de una vez se habrá hecho todas estas preguntas. Mire, le mostramos algunas claves para no «meter la pata».

[2] _____ reglas, resulta difícil establecer normas absolutas, sin embargo hay ciertos principios. En primer lugar, los vinos blancos, después los rosados, los tintos ligeros, con cuerpo y, por último, los blancos semidulces o dulces.

[3] _____, a la hora de abrir la botella se elegirá un sacacorchos simple para que el corcho no se rompa. [4] _____, una vez abierto y catado, el vino se sirve en las copas hasta la mitad.

[5] _____, el vino blanco cuando vaya a ser consumido, se deberá colocar en una cubitera con hielo y agua.

⁽⁶⁾ _____, para algunos vinos se han de usar copas especiales para una mayor degustación. ⁽⁷⁾ _____, nunca se lavan con detergentes, pues puede estropear el sabor del vino. ⁽⁸⁾ _____, las copas deben ser cogidas por el pie.

(Adaptado de: http://www.hola.com/gastronomia/etiqueta/
2004/03/24/10346_como_servir_el_.html)

POR CIERTO, ¡A VER CUÁNTOS ENCUENTRAS!
Lee la entrevista y sustituye los conectores en negrita por un sinónimo.

ENTREVISTA CON
JANCIS ROBINSON

Jancis Robinson posee un exclusivo título y un extraordinario conocimiento del vino. Ha visitado Barcelona para participar en Vinorum con una charla sobre vinos.

Periodista: ⁽¹⁾ *A propósito* _____ ¿qué piensa sobre la aptitud en su profesión?

Jancis Robinson: Creo que no podemos juzgar nuestra propia aptitud.

Periodista: Bueno, lo que mejor que define al catador es relacionar sensaciones con descriptores.

Jancis Robinson: Sí, claro. Las palabras nos ayudan a describir un sabor.

Periodista: ⁽²⁾ *A todo esto* _____, ¿cómo relaciona los sabores con los recuerdos?

Jancis Robinson: Hombre, es difícil explicarlo, es como explicar cómo olemos.

Periodista: Bien, ¿por qué cree que los países mediterráneos tienen tan poca representación?

Jancis Robinson: No tiene ningún misterio. ⁽³⁾ *Por cierto* _____, países como España o Francia ahora están muy inte-

	resados y probablemente estudiarán enología y viticultura...
Periodista:	¿El buen vino es el que nos da más placer o el que nos aporta más información?
Jancis Robinson:	Bueno, yo valoro vinos para el consumidor, por eso me concentro en el placer que proporciona. [4] ***Dicho sea de paso*** _____, mi principal objetivo es dirigirme al amante del vino.
Periodista:	[5] ***Por cierto que*** _____ Jancis Robinson termina planteándonos: ¿cuál es la región vitivinícola en España que recibe una mayor inversión económica? Ella nos recomienda visitar su proyecto en: http://www.jancisrobinson.com

(Adaptado de: http://www.acenologia.com/investigacion_entrevista66_1.htm)

DICHO SEA DE PASO, ¡EL MAR ESTÁ REVUELTO!
Completa el siguiente diálogo con uno de los conectores de los recuadros.

Por cierto	Dicho sea	Dicho sea de paso	A todo esto
Por cierto que	Otra cosa	Por cierto	A propósito del

EL VINO Y EL PUEBLO: «REFRANERO DEL VINO»

Profesor: [1] _____, ¿sabes qué el español bebe mucho vino?

Jane: ¿Ah, sí? Bueno, yo sé que en muchas regiones se bebe vino, pero no conozco sus nombres...

Profesor: Pues se bebe el *clarete* (vino tinto, algo claro), *el vino de mesa* (vino común), *el peleón* (fuerte y cabezón), *el añejo* (viejo y generoso) o *el Ribeiro* (vino gallego).

Jane: Muchas gracias. [2] _____, ¿es verdad que con el vino se sella la amistad?

Profesor: Sí, [3] _____, pues el vino está muy unido a la vida de nuestro pueblo.

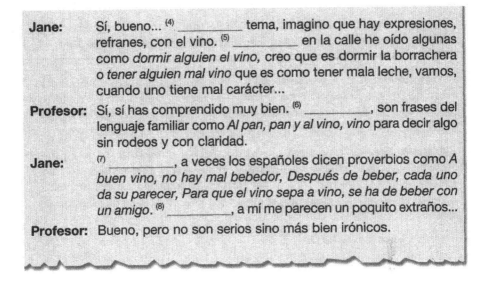

Jane: Sí, bueno... (4) _____ tema, imagino que hay expresiones, refranes, con el vino. (5) _____ en la calle he oído algunas como *dormir alguien el vino*, creo que es dormir la borrachera o *tener alguien mal vino* que es como tener mala leche, vamos, cuando uno tiene mal carácter...

Profesor: Sí, sí has comprendido muy bien. (6) _____, son frases del lenguaje familiar como *Al pan, pan y al vino, vino* para decir algo sin rodeos y con claridad.

Jane: (7) _____, a veces los españoles dicen proverbios como *A buen vino, no hay mal bebedor, Después de beber, cada uno da su parecer, Para que el vino sepa a vino, se ha de beber con un amigo.* (8) _____, a mí me parecen un poquito extraños...

Profesor: Bueno, pero no son serios sino más bien irónicos.

A PROPÓSITO, ¡NO HAY SIGNOS!

Lee con atención el chat y pon los puntos y las comas que faltan.

LOS VINOS DEL FORO

#NES, FERROL#: *Por cierto* ¿qué os parece si hacemos una lista de vinos que nos gustan? Bueno, yo soy un aficionadillo y ya que estamos repartidos por la península... Saludos.

#Lumber, Rioja#: Vale *A todo esto* me encantan todo tipo de vinos excepto los rosados. En tinto soy de Ribera del Duero, pero mi aportación va hoy a un Rioja, es sencillamente, ¡es-pec-ta-cu-lar!

#Sanza, Santander#: Coincidimos *a propósito* en vinos, Me encantan los blancos como los Albariños y tintos de Vega Sicilia, etc.

#Flan, Madrid#: Vega Sicilia es lo mejor de lo mejor pero *dicho sea de paso* se paga.

#J A REINARES#: *Por cierto que* siento discrepar pues Vega Sicilia no es el mejor *A propósito* una pequeña sugerencia, prueba el Pedro Ximenez (Córdoba) llamado AMANECER.

#Asier, Getxo#: Pues mis preferidos son los tintos Rioja, Ribera, Enate, Viñas del vero, Tres picos del campo de Borja, Txakoli vasco **dicho sea** al que me invite a comer yo pongo el vino.

#Suso, Bilbao#: **A propósito del** vino blanco, un albariño bien frío y bebido en taza, lo mejor **Por cierto** no me van demasiado los rosados, como mucho los Lambruscos, Chianti italianos y los Cauvernet Sauvignon californianos y australianos que he probado y me han gustado bastante.

#Agustín, México#: Me gustan los vinos, pero **a todo esto** no me declaro conocedor. **Dicho sea de paso** en mi tierra compro vinos chilenos y del valle de California. NES, **por cierto** he tomado nota de este post... De los españoles de venta aquí, el más conocido es uno llamado Marqués de Cáceres, es Rioja. ¿Lo conocen? Saludos

#NES Ubicación: FERROL#: El otro día hicimos una fiestecita en casa **Dicho sea** probamos cuatro botellas de vino francés, pero no me acuerdo de los nombres **Otra cosa** gracias a todos por vuestras opiniones y posts, y perdón por el rollo.

(Adaptado de: http://www.relojes-especiales.com/foros/showthread.php?s= 0e0264cfdf5745ccf4224413d9f0feb3&p=365855#poststop)

msn Messenger

POR CONSIGUIENTE, ¡VÁYASE DE LA POLÍTICA! CONECTORES CONSECUTIVOS: ASÍ (PUES), ASÍ (QUE)...

EMPIEZA SABIENDO LO QUE VAS A ESTUDIAR:

> **Conectores consecutivos:** *así (pues), así (que), de ahí (que), por consiguiente, por (lo) tanto, por ende, en consecuencia, por ello / eso, entonces.*

SE USAN PARA:

Expresar una consecuencia lógica o real de lo indicado o dicho.

Referirse a una causa-consecuencia motivada por lo que se ha dicho antes.

Introducir una conclusión o cierre textual a partir de una consecuencia: hechos históricos, consecuencias políticas, económicas, sociales, de la vida cotidiana...

POLÍTICA SÍ, GRACIAS.

Lee atentamente el texto.

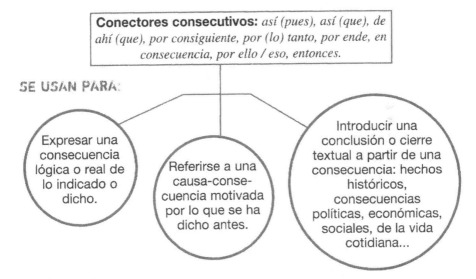

DE LA DICTADURA A LA TRANSICIÓN. DE LA TRANSICIÓN A LA DEMOCRACIA.

Dos días después de la muerte del Generalísimo F. Franco, un 22 de noviembre de 1975, Don Juan Carlos I fue proclamado rey. *Por consiguiente*, se iniciaba una difícil etapa para España y el nuevo soberano y, *por ende*, una gran incertidumbre sobre el futuro de los españoles. *En consecuencia*, el 3 de julio, el rey nombra como Presidente del Gobierno a Adolfo Suárez dando paso a la Transición. En marzo de 1977 el Presidente aprobó la Ley electoral, *de ahí que* se vivía una gran fiesta por la libertad y por las primeras elecciones democráticas. *Así pues,* en mayo nació Unión de Centro Democrático (UCD) que ganó las elecciones y en 1978 se elaboró la Constitución por la que se establecía como forma política la Monarquía Parlamentaria, un Estado Social de Derecho con libertades políticas y derechos sociales. *Y así,* en los años posteriores se aprobaron los Estatutos de Autonomía dando lugar a una nueva realidad plurinacional y plurirregional. *Por ello,* la Transición a la democracia quedaba completada en lo esencial, aunque todavía permanecían sectores nostálgicos de la dictadura. *Por tanto,* esa tensión provocó en 1981, un Golpe de Estado, el recordado por los españoles como 23-F (23 de febrero), un asalto al Congreso de los Diputados por el Teniente Coronel de la Guardia Civil Antonio Tejero que colocó a la sociedad española al borde del abismo. *De ahí,* la figura de Juan Carlos I cobró una trascendencia capital para su fracaso. Este y otros motivos favorecieron el arrollador triunfo del PSOE (Partido Socialista Obrero Español) en 1982. *Entonces,* los socialistas llegaban con un slogan: «Por el cambio».

(Adaptado de: http://www.ucm.es/info/hcontemp/leoc/
historia%20spain.htm)

¡BUSCA, ENCUENTRA Y COMPARA!

Lee con atención las reglas.

RECUERDA

- Registro formal bien oral bien escrito: *así pues, por consiguiente, en consecuencia, por tanto, de ahí que.*
- Registro informal: *así que, por ello / eso, entonces, por lo tanto.*
- Registro culto, extremadamente formal: *por ende, de ahí.*
- Van en posición inicial o intermedia, entre comas o tras un punto y delante de una coma.

ASÍ / ASÍ PUES / ASÍ QUE

Introducen una consecuencia general al comienzo de una frase. Presentan una conclusión que funciona como cierre argumentativo o textual.

- **Así:** aparece combinado a veces: **Y + así; Así + por ejemplo.**
- **Así pues:** equivale a *a la vista de los hechos, se concluye que...*

OJO

Así que + indicativo: consecuencia acompañada de un verbo: oración subordinada. Equivale a *de lo anterior deduzco que...*

POR CONSIGUIENTE / POR (LO) TANTO / POR ENDE / DE AHÍ / DE AHÍ QUE

Después de un razonamiento introducen una causa-consecuencia que presentan como una conclusión fuerte, necesaria u obligatoria que cierra el tema o el discurso.

- **Por consiguiente:** aparece combinado a veces: **Y + por consiguiente, Ni + por consiguiente.** Equivale a *consiguientemente, consecuentemente.*
- **Por (lo) tanto:** equivale a *por lo que antes se ha dicho, por el motivo que acaba de hablarse.* Aparece combinado a veces: **Y / Ni + por (lo) tanto.**
- **Por ende:** equivale a *por tanto.*
- **De ahí:** equivale a *de esto se deduce que.*

OJO

De ahí que + *subjuntivo:* introduce un razonamiento de tipo causa-consecuencia, pero necesita un verbo por ser una oración subordinada.

EN CONSECUENCIA / POR ELLO/ESO / ENTONCES

- **En consecuencia:** introduce un resultado como consecuencia de una serie de cosas o hechos. **Y + en consecuencia.**
- **Por ello / eso:** señala una información anterior que es la causa que lleva a la consecuencia o conclusión.
- **Entonces:** introduce una consecuencia débil. Organiza el turno de palabra: **Y + entonces, Pero + entonces; ¿Entonces? / Entonces... -¡Entonces...! / Pues entonces.**

RECUERDA

No se debe confundir *entonces* con valor consecutivo con los significados de tiempo: en aquella época, en esos días, seguidamente, pronto, después, en seguida.

—ACTIVIDADES—————————————————————

1 **¡CADA OVEJA CON SU PAREJA!**
Lee y sustituye los conectores en negrita por los conectores de un registro formal o culto.

JOSÉ LUIS RODRÍGUEZ ZAPATERO: «PONDRÉ TODO MI ESFUERZO EN NO DEFRAUDAR A LOS ESPAÑOLES».

Pocos cambios de Gobierno, en España, han tenido tanta expectativa internacional como las elecciones generales del 14 de marzo de 2004. De nuevo, el triunfo del PSOE. [1] ***Por eso*** _____, *El Socialista* entrevista a Zapatero y estas son sus respuestas.

Pregunta: ¿Cuál fue su primer pensamiento del resultado del pasado 14 de marzo?

Respuesta: Más bien hablaría de una profunda emoción, una mezcla de sentimientos, [2] ***así que*** _____ fueron momentos de sensaciones cruzadas.

Pregunta: El 11 de marzo, España sufrió un terrible atentado. [3] ***En consecuencia*** _____, 192 personas asesinadas de diferentes países y unos 1.500 heridos. ¿Cómo lo vivió?

Respuesta: Con horror y dolor. [4] ***Entonces*** _____, visité a las víctimas y familiares. Nunca lo olvidaré.

Pregunta: Una promesa de las elecciones era retirar las tropas de Irak. ¿Cuándo lo decidió?

Respuesta: Siempre estuve en contra, [5] ***por lo tanto*** _____, encargué la retirada a los responsables.

Pregunta: Usted es feminista y, [6] ***por ello*** _____, ha creado un gobierno paritario. ¿Qué significado tiene?

Respuesta: Significa compromiso y, [7] ***entonces*** _____, un mensaje a la sociedad.

Pregunta: La noche electoral estuvo ensombrecida por el 11-M. Sin embargo, la gente le recibió con alegría y le pedían que no les fallara. ¿Qué significa para usted?

Respuesta: Compromiso y responsabilidad. Muchísimos ciudadanos votaron con esperanza e ilusión. Me atengo a las consecuencias, [8] ***así que*** _____ trabajaré para no defraudarles.

(Adaptado de: http://www.elsocialista.es/entrev-655b.html)

2 POR CONSIGUIENTE, ¡PONGAMOS PAZ!

Transforma la causa en consecuencia usando uno o varios conectores en cada caso.

1. La Guerra Civil Española ha sido considerada como el preámbulo de la II Guerra Mundial, **puesto que** sirvió de campo de pruebas para las potencias del Eje y la Unión Soviética.

   _____

   _____

   _____

2. **Como** apoyaban a la causa republicana, las principales potencias democráticas de Europa, Francia y Gran Bretaña no se mantuvieron neutrales.

   _____

   _____

   _____

3. Cualquier ayuda era poca, **pues** la Guerra Civil Española fue una guerra total en la que ambos bandos se volcaron con todos los recursos disponibles.

   _____

   _____

   _____

4. **Puesto que** hubo ejecuciones, resentimiento entre perdedores y vencedores con un número de muertos en la Guerra Civil española muy alto, fue sin duda el terror, la represión y el empobrecimiento material e intelectual del país lo que España vivió en dicha época.

   _____

   _____

   _____

5. Con la llegada de la democracia, a partir de la muerte de Franco, el bando perdedor se sintió reivindicado, **ya que** el programa de reformas emprendido por el nuevo régimen democrático asumía gran parte del proyecto reformador de la II República.

   _____

   _____

   _____

3 POR TANTO, ¡VAMOS ALLÁ!

Lee el blog y pon el conector correspondiente según el valor.

DISCURSO DE JOSÉ MARÍA AZNAR
EN LA PRESENTACIÓN
DE *ESPAÑA EN PRIMER PLANO*.

Queridos amigos:

Muchas gracias a todos y al autor Alejandro Muñoz-Alonso por este magnífico libro que plasma cuando el Partido Popular obtuvo en 1996 la confianza de los ciudadanos. [1] (*Consiguientemente*) _____, ocho años de política. He pasado muy buenos ratos leyendo *España en primer plano*, [2] (*Por lo que antes se ha dicho / que acaba de hablarse*) _____, puedo recomendarlo, pues es un libro sólido y bien documentado. Los españoles hemos demostrado ser valientes, [3] (*Razonamiento causa-consecuencia. Usa verbo en subjuntivo.*) _____ sea también trabajadora, emprendedora y capaz. En la Transición, los españoles queríamos ser un país normal, [4] (*De lo anterior deduzco que... Necesita un verbo en indicativo*) _____ apostamos por una democracia. Queríamos ser como los demás, integrarnos y, [5] (*Resultado como consecuencia de una serie de cosas*) _____, que se nos escuchara como a los franceses, británicos, alemanes. [6] (*A la vista de los hechos, se concluye que*) _____, lo primero que hicimos fue que España se incorporara al euro. Aunque la economía española no cumplía, en 1996, ninguna de las condiciones necesarias para entrar. [7] (*Consecuencia débil*) _____, con el esfuerzo de todos, lo logramos. Y, [8] (*Por tanto. Extremadamente culto*) _____, el euro es hoy el primer pilar de la economía española. Todo nos lo cuenta en su libro Alejandro. Muchas gracias.

(Adaptado de: http://www.publico.es/espana/4189)

---

4 ¡LA PRUEBA DEL DELITO!

Completa el correo electrónico con uno de los conectores de los recuadros.

Por tanto	Así por ejemplo	Por eso	Así pues

En consecuencia	Así que	Entonces	De ahí que

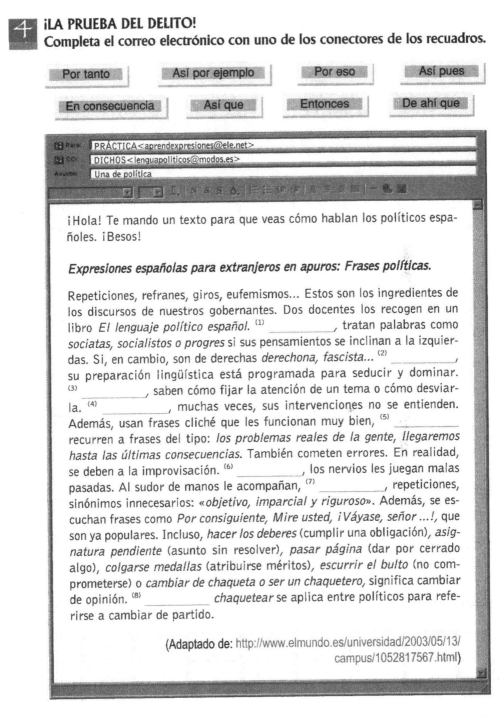

Para: PRÁCTICA<aprendexpresiones@ele.net>
CC: DICHOS<lenguapoliticos@modos.es>
Asunto: Una de política

¡Hola! Te mando un texto para que veas cómo hablan los políticos españoles. ¡Besos!

Expresiones españolas para extranjeros en apuros: Frases políticas.

Repeticiones, refranes, giros, eufemismos... Estos son los ingredientes de los discursos de nuestros gobernantes. Dos docentes los recogen en un libro *El lenguaje político español*. [1] _____, tratan palabras como *sociatas, socialistos o progres* si sus pensamientos se inclinan a la izquierdas. Si, en cambio, son de derechas *derechona, fascista...* [2] _____, su preparación lingüística está programada para seducir y dominar. [3] _____, saben cómo fijar la atención de un tema o cómo desviarla. [4] _____, muchas veces, sus intervenciones no se entienden. Además, usan frases cliché que les funcionan muy bien, [5] _____ recurren a frases del tipo: *los problemas reales de la gente, llegaremos hasta las últimas consecuencias.* También cometen errores. En realidad, se deben a la improvisación. [6] _____, los nervios les juegan malas pasadas. Al sudor de manos le acompañan, [7] _____, repeticiones, sinónimos innecesarios: «*objetivo, imparcial y riguroso*». Además, se escuchan frases como *Por consiguiente, Mire usted, ¡Váyase, señor ...!*, que son ya populares. Incluso, *hacer los deberes* (cumplir una obligación), *asignatura pendiente* (asunto sin resolver), *pasar página* (dar por cerrado algo), *colgarse medallas* (atribuirse méritos), *escurrir el bulto* (no comprometerse) o *cambiar de chaqueta o ser un chaquetero*, significa cambiar de opinión. [8] _____ *chaquetear* se aplica entre políticos para referirse a cambiar de partido.

(Adaptado de: http://www.elmundo.es/universidad/2003/05/13/
campus/1052817567.html)

5 ASÍ PUES, ¡A VER CUÁNTOS ENCUENTRAS!
Lee y sustituye el conector en negrita por otro sinónimo.

ENTREVISTA A FELIPE GONZÁLEZ, SECRETARIO GENERAL DEL PARTIDO SOCIALISTA OBRERO ESPAÑOL (PSOE) Y PRESIDENTE DEL GOBIERNO DE 1982 A 1993.

N. Sociedad: En España se habla de democracia social, [1] **por consiguiente** _____, de lo que menos es de socialismo. ¿Por qué?

F. González: Porque nos han robado el término. Sin embargo, todo quiere decir lo mismo, a mi juicio. [2] **Por consiguiente** _____, yo creo que no hay socialismo sin democracia, no hay socialismo sin libertad.

N. Sociedad: ¿Cómo aclararía el concepto de *democracia formal o burguesa*?

F. González: Eso que llaman «democracia formal», ha sido el fruto de las clases trabajadoras. Su lucha dio el derecho a la igualdad y a decidir qué tipo de gobierno. [3] **Por consiguiente** _____, lucharemos por esa democracia burguesa.

N. Sociedad: ¿Podría Ud. describirnos brevemente el programa de su partido?

F. González: Estamos en una etapa de recuperación de la libertad. Para nuestro partido, esa libertad es imprescindible, pues supone un avance en la democracia social y económica. [4] **Por consiguiente** _____ las medidas se podrían enfocar de múltiples maneras. Queremos que nuestros trabajadores no busquen su puesto de trabajo fuera. Preferimos que lo encuentren en España. [5] **Por consiguiente** _____ hay que crear empresas públicas, disminuir el paro.

NUEVA SOCIEDAD, NRO. 24, MAYO-JUNIO 1976

(Adaptado de : http://www.nuso.org/upload/articulos/233_1.pdf)

6 Y ASÍ, ¡EL MAR ESTÁ REVUELTO!
Lee con atención las siguientes interveciones de chat y pon los puntos y las comas que faltan.

● ● ● MSN Messenger

Agregar | Enviar | Enviar archivo | SMS | Correo

¡Bienvenidos al Chat Aula de español!
Sala de ¿QUÉ ES UNA CC. AA.?

#Llamazares#: ¡Hola a todos! El otro día estuvimos en clase hablando de España y **por consiguiente** de las CC.AA. Sin embargo, no me han quedado claras las cosas...

#Esperanza#: Claro. Mira, las CC.AA. son Comunidades Autónomas, es decir, una entidad territorial **de ahí** regional que posee autonomía legislativa, competencias ejecutivas, así como sus propios representantes.

#Guerra#: Bueno, la Constitución Española de 1978 estructura a España en comunidades **En consecuencia** el texto reconoce y garantiza el derecho a la autonomía de las regiones que la componen: 17 comunidades y dos ciudades autónomas, Ceuta y Melilla **Por ende** también han sido aprobados sus Estatutos de autonomía.

#Llamazares#: Muchas gracias, chicos, ahora lo tengo más claro... Pero, ¿qué son los Estatutos de autonomía y **por lo tanto** qué implica para España y sus regiones?

#Moratinos#: Pues es la norma institucional básica de una Comunidad Autónoma y, *así*, el Estado las reconoce como parte de su ordenamiento jurídico **Por ello** este tipo de norma recoge, al menos, la denominación y delimitación territorial de una comunidad, su organización, sedes y, si procede, los principios del régimen lingüístico.

#Llamazares#: **Así que** para que se produzca todo esto se requiere el voto favorable de la mayoría absoluta del Congreso de los Diputados y del Senado, ¿no?

#Ana#: Por supuesto. Aunque es todo muy complicado pues la elaboración y aprobación de los Estatutos es distinto del resto de las leyes **de ahí que** la Constitución establezca como órganos básicos la Asamblea Legislativa, el Consejo de Gobierno, el Presidente del Consejo nombrado por el Rey, y el Tribunal Superior de Justicia.

 # Guerra #: Pues sí es complicadilla la cosa **por eso** es normal que Llamazares se líe...

#Llamazares#: Pues la verdad es que sí **Entonces** ¿hay elecciones en cada comunidad y **por tanto** en cada provincia, en cada pueblo de cada región?

#Esperanza#: El sistema de elección de los miembros es por sufragio universal y **así pues** en cada provincia. Se celebran el último domingo de mayo cada 4 años en todas las Comunidades excepto en País Vasco, Cataluña, Galicia, Andalucía y Navarra.

#Llamazares#: Vale, vale, muchas gracias a todos, pues me habéis ayudado mogollón.

#Moratinos#: No hay de qué...

5

ODIO LA CORRIDA. EN CAMBIO, YO LA ADORO.
CONECTORES CONTRAARGUMENTATIVOS:
EN CAMBIO, POR EL CONTRARIO...

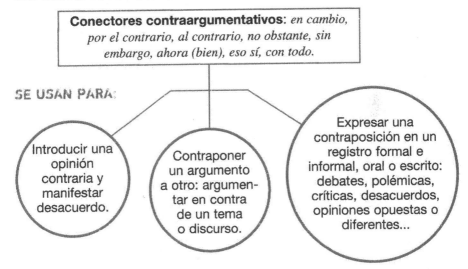

Conectores contraargumentativos: *en cambio, por el contrario, al contrario, no obstante, sin embargo, ahora (bien), eso sí, con todo.*

SE USAN PARA:

Introducir una opinión contraria y manifestar desacuerdo.

Contraponer un argumento a otro: argumentar en contra de un tema o discurso.

Expresar una contraposición en un registro formal e informal, oral o escrito: debates, polémicas, críticas, desacuerdos, opiniones opuestas o diferentes...

TOROS SÍ, TOROS NO, GRACIAS.

Lee atentamente las siguientes intervenciones del chat.

MSN Messenger

Agregar Enviar Enviar archivo SMS Correo

ECOLOGISTAS EN ACCIÓN VALORA UN ESTUDIO LLAMADO
ESTUDIO SOBRE CONCIENCIA Y CONDUCTA MEDIOAMBIENTAL EN ESPAÑA EN EL QUE SE HA DADO APOYO A LAS CORRIDAS.

#Torito bravo#: Yo estoy a favor de los toros, ***pero eso sí***, no quiero que los maten.

#Ordóñez#: *Pero* entre los poderosos y el famoseo gustan, así que tendremos salvajada para rato. ***A pesar de que*** yo, la verdad, no conozco a nadie que le gusten.

#Osborne#: No, no, no. *Al contrario*, pienso que hay mucha gente que va a las corridas, participa en los encierros o ven el programa de «Tendido Cero» en la tele.

#Banderillero#: Bueno, ya vale de poner peros a la movida de los toros. *Eso sí*, yo no estoy a favor de que los traten así, *aunque* con estas cosas salimos a noticia por día...

#Corredor#: Yo, *en cambio*, nunca entenderé el disfrute de ver sufrir a un pobre animal de una forma tan cruel. En fin... Soy del norte y no vamos mucho a los toros. *Sin embargo*, he trabajado con gente de varios puntos de España y, *no obstante* suena a tópico, creo que esta afición aumenta a medida que bajamos geográficamente.

#Torerito#: Bueno, pues para empezar a mí no me gustan los toros. *Ahora bien*, cuando era un crío mi padre me llevaba a las corridas. *Con todo*, no me gusta prohibir cosas que no nos gustan. Y, bueno, la de los toros me parece una de ellas.

#Crítico taurino#: No tío, no queremos prohibirlo porque no nos guste. *Por el contrario*, yo quiero prohibirlo porque es una bestialidad y un insulto a la naturaleza. Si no respetamos a los animales, ¿por qué vamos a respetarnos nosotros?

(Adaptado de: www.ecologistasenaccion.org/article.php3?id_article=6003)

¡BUSCA, ENCUENTRA Y COMPARA!

Lee con atención las reglas.

EN CAMBIO / POR EL CONTRARIO (contraste / contrariedad):
• *En cambio:* presenta un contraste, oposición débil.
• *Por el contrario:* implica una contrariedad, oposición fuerte.

Son sinónimos cuando ambos expresan un modo opuesto o contrario, estos se sustituyen entre ellos y también por el conector *Al contrario*.
A veces van acompañados: *Pero / Y / Sino que + en cambio / por el contrario*.

**NO OBSTANTE / SIN EMBARGO / AHORA BIEN / ESO SÍ /
CON TODO** (sentido refutativo):
- **No obstante:** expresa una contraposición y una refutación fuerte.
- **Sin embargo:** presenta una contraposición y una refutación débil.

  A veces va acompañado: **pero / y + sin embargo**.

- **Eso sí:** atenúa o invierte ciertas conclusiones. Equivale a *a pesar de los inconvenientes o ventajas*.

  A veces: **pero + eso sí**.

- **Ahora (bien):** introduce una puntualización opuesta o contraria.

- **Con todo (eso/esto/lo dicho):** presenta una conclusión contraria. Equivale a *a pesar de lo expuesto*.

!

OJO

En cambio, por el contrario, no obstante, sin embargo, ahora bien, eso sí, con todo equivalen a a pesar de (ello), aunque, pese a (ello), y pero ya que presentan un sentido concesivo que manifiesta una clara oposición o una contraposición que puntualiza lo dicho previamente.

Completa la siguiente regla referida a la expresión escrita de estos conectores:

RECUERDA:
En cambio y *por el contrario* van en posición inicial e _____, entre _____, tras un punto y _____ y antes de una _____.

Ahora bien y *con todo* van sólo en posición _____ tras un _____ y _____ una coma.

Eso sí, va en la misma posición que *ahora bien* y *con todo,* pero a veces se puede usar en posición _____ cuando va acompañada de **pero**.

No obstante y *sin embargo* van en posición _____, _____ y final, entre _____, tras un _____ y seguido y antes de una _____, tras una coma y punto final.

—ACTIVIDADES—

¡CADA OVEJA CON SU PAREJA!
Completa el texto con los conectores correspondientes según el valor dado en cada caso.

ARGUMENTOS EN PRO Y EN CONTRA DE LA TAUROMAQUIA

Cierto es que la tauromaquia es una tradición que forma parte de la cultura española. [1] (*Contraposición débil*) _____, es destructiva y provoca numerosos peros, objeciones entre los españoles que menosprecian un pilar de su cultura... [2] (*Puntualización opuesta o contraria*) _____, la corrida de toros es una muestra del aprecio y respeto hacia el toro, [3] (*Contraposición y una refutación fuerte*) _____, dichas cualidades no justifican su tortura. [4] (*Conclusión contraria*) _____, ¿en qué consiste la tauromaquia? Pues en una gran variedad de rituales: encierros, toro embolado o toro de fuego... [5] (*Atenúa ciertas conclusiones*) _____, que posea aspectos positivos, no disminuye su crueldad y una descarga de sentimientos agresivos. Hay, [6] (*Contrariedad o contraste. Oposición fuerte o débil*) _____, alternativas inofensivas como el deporte. [7] (*Contraposición y una refutación fuerte*) _____, son un símbolo religioso de la lucha entre el bien y el mal. [8] (*Contraposición débil*) _____, no deben reducirlos como símbolo de brutalidad. [9] (*Contraste. Oposición débil*) _____, algunos afirman que Dios los ha creado para luchar y morir de esa manera. Es pretencioso, [10] (*Contrariedad. oposición fuerte*) _____, hablar por Dios sobre su destino. [11] (*Conclusión contraria*) _____, los toros son criados por su bravura, y abolirlos sería un gran pérdida. [12] (*Puntualización opuesta o contraria*) _____, la mayoría de los turistas cuando visita los toros salen de la plaza, desgraciadamente, desilusionados. Y, [13] (*Contraste. Oposición débil*) _____, no comprenden que los toros son la esencia del país. [14] (*Atenúa ciertas conclusiones*) _____, identificar a España con una sola tradición como esta es absurdo.

(Adaptado de: http://www.animalfreedom.org/espagnol/opinion/
argumentos/tauromaquia.html)

2 CON TODO, ¡PONGAMOS PAZ!

Elige la opción correcta teniendo en cuenta la posición y las comas, puntos, etc.

1. María ha comprado un libro de tauromaquia y Juan, _____, uno de comida.

   a. en cambio   b. con todo   c. ahora bien

2. No me gustan los encierros. _____, me desagradan.

   a. Sin embargo   b. Por el contrario   c. Con todo

3. Me gusta la corrida, _____, nunca voy a verla porque las entradas son muy caras.

   a. sin embargo   b. con todo   c. ahora bien

4. Vale, vamos a los sanfermines. _____, no vamos a ir a los encierros, ¿está claro?

   a. Al contrario   b. Por el contrario   c. Ahora bien

5. El traje de luces de Curro Romero es blanco y, _____, el de Ubrique es rosa.

   a. sin embargo   b. ahora bien   c. al contrario

6. Mari, o dejas de ir a los toros o, _____, tú y yo terminaremos definitivamente.

   a. no obstante   b. por el contrario   c. con todo

7. Tengo dos hermanas toreros y _____, Flor no.

   a. ahora bien   b. con todo   c. en cambio

8. Soy una fanática de la tauromaquia, _____, nunca voy a la plaza.

   a. por el contrario   b. no obstante   c. al contrario

¡PERO VAMOS ALLÁ O NO!

Lee atentamente los siguientes correos electrónicos, y corrige las cuatro frases incorrectas.

Para:	Profesor <profele@uniele.net>
CCi	Estudiantes <represtudiele@uniele.net>
Asunto:	Problemas con un ejercicio de conectores

Estimada profesora:

Usted nos mandó para el finde ocho frases, cuatro incorrectas que tenemos que corregir poniendo el conector o conectores adecuados. Lo quiero hacer, sin embargo, no puedo porque el viernes no fui a clase, hice novillos... ¿Podría enviármelas? Represtudiele

---

Para:	Estudiantes <represtudiele@uniele.net>
CCi	Profesor <profele@uniele.net>
Asunto:	Problemas con un ejercicio de conectores

Estimado alumno:

Bueno, no te preocupes si hiciste novillos. *Ahora bien*, el lunes quiero que me entregues las cuatro frases corregidas. Ahí van:

1. No me gustan los toros. *Por el contrario*, a mi familia le encantan.
2. Adoro a los toreros. maten, *con todo*, a un precioso animal como el toro.
3. Enrique ama los encierros. *En cambio*, su mujer los odia.
4. Juan va a la plaza de toros y, *al contrario*, Alicia no.
5. Adoro los encierros. *Ahora bien*, soy consciente de su peligro.
6. Adoro a los toreros. matan, *sin embargo*, al toro de una forma cruel.
7. Adoro a los toreros. *No obstante*, matan a un animal que tiene derecho a vivir.
8. Adoro los toros. No es justo que los toreros los maten tan cruelmente, *eso sí*.

Muy buen fin de semana,

Profele

Frases incorrectas:

_____
_____
_____
_____

4. ¡LA PRUEBA DEL DELITO!
Lee y completa la entrevista con uno de los conectores de los recuadros.

| No obstante | Con todo (2) | Pero | El contrario |
| Sin embargo | En cambio | Ahora bien | Por el contrario |

| Eso sí |

A. CABALLERO: LA CULTURA NO HA ENTENDIDO LOS TOROS

Antonio Caballero es un crítico taurino que acaba de publicar un libro sobre mitos, secretos y virtudes del toreo: ligereza, agilidad, destreza, rapidez, facilidad, flexibilidad y gracia. (1) _____, estas le resultan virtudes muy físicas, le encanta polemizar.

Pregunta: ¿Tiene algún argumento para convencer a los antitaurinos?

Respuesta: Bueno, a los antitaurinos no se les puede convencer. (2) _____, estos no me interesan. Sí, (3) _____, los no taurinos, los indiferentes.

Pregunta: Reconoce, (4) _____, cierto grado de crueldad en los toros.

Respuesta: Bueno, (5) _____ de lo que se piensa, los toros no son tan crueles, pues es un animal al que le gusta pelear, defenderse como a los hombres.

Pregunta: Bien, su libro tiene mucho de tratado de estética.

Respuesta: Desde luego. (6) _____ el toreo es sobre todo proporción. (7) _____, el problema es que es un arte muy pasajero que sólo existe en el momento.

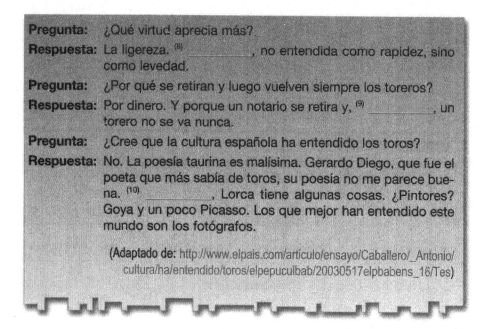

Pregunta: ¿Qué virtud aprecia más?

Respuesta: La ligereza. (8) _____, no entendida como rapidez, sino como levedad.

Pregunta: ¿Por qué se retiran y luego vuelven siempre los toreros?

Respuesta: Por dinero. Y porque un notario se retira y, (9) _____, un torero no se va nunca.

Pregunta: ¿Cree que la cultura española ha entendido los toros?

Respuesta: No. La poesía taurina es malísima. Gerardo Diego, que fue el poeta que más sabía de toros, su poesía no me parece buena. (10) _____, Lorca tiene algunas cosas. ¿Pintores? Goya y un poco Picasso. Los que mejor han entendido este mundo son los fotógrafos.

(Adaptado de: http://www.elpais.com/articulo/ensayo/Caballero/_Antonio/
cultura/ha/entendido/toros/elpepuculbab/20030517elpbabens_16/Tes)

¡NO HAY PEROS QUE VALGAN!

Lee y sustituye las expresiones en negrita con el conector adecuado.

MIL Y UN REFRANES TAURINOS

Está claro que el refranero es algo propio del español y que le da esencia. (1) **Pero** _____ más allá de eso lo que representa es la sabiduría y el sentir del pueblo. Así se fijan en la tradición oral de nuestro idioma; como es sabido, un claro ejemplo es el mundo de los toros, rico en refranes: ¿A dónde vas?... ¡A los toros!... ¿De dónde vienes?... (2) **Aunque** _____ resulta curioso observar cómo algunos refranes no siempre tienen referencias taurinas directas, *A falta de pan, buenas son tortas; y a falta de toros, buenos son perros*, que habla de conformarse con lo que hay, (3) **pero** _____ con un claro sentido negativo. (4) **Aunque** _____ muchas personas no han ido en su vida a los toros, saben interpretar y emplear perfectamente, (5) **pese a ello** _____, expresiones como *Al toro hay que cogerlo por los cuernos*, *Cambiar de tercio*; dichos y expresiones que reflejan la importancia que tiene el mundo del toro en nuestra lengua... (6) **Aunque** _____, como en otros campos, muchos refranes se han perdido, (7) **pero** _____, otros como *Aquello era una corrida de toros* que indica confusión, desconcierto, desorganización, son todavía muy usados. [8] ***Pero*** _____, dejando a un lado estos, hay también numerosas expresiones que es habitual oír y que forman parte de los españoles como *cortarse la coleta*, para decir que alguien deja una responsabilidad; *salir por la puerta grande*, para alguien que ha realizado algo de manera brillante; *echar un capote*, cuando alguien ayuda a otro en una situación difícil; *coger el toro*, ser superado por las circunstancias; *conocer el percal*, la persona sabe de lo que habla; *estar para el arrastre*, estar en baja forma físicamente; *saltarse a la torera*, no hacer caso de las normas; *ver los toros desde la barrera*, ver problemas desde fuera sin implicarse, etc.

(Adaptado de: http://www.ganaderoslidia.com/webroot/refranes_taurinos.htm, http://personal.telefonica.terra.es/web/karmentxu/refranes/dichostoros.html**)**

AUNQUE EL MAR ESTÉ REVUELTO...
Lee con atención las siguientes intervenciones del chat y pon los puntos y las comas que faltan.

FIESTAS DE SAN FERMÍN, PAMPLONA: ¿POR QUÉ CORRER ENCIERROS?

¿Por qué corro encierros? Porque me siento más vivo cuando esquivo a la muerte.

7 de julio, 07:45. Faltan 15 minutos   **No obstante**   espero impaciente en la plaza del ayuntamiento. Me he levantado a las seis, pantalón blanco, camiseta roja   ***pero***   sin pañuelo ni faja, ni nada por donde un toro pueda cogerme.

07:59. Miramos el reloj impacientes, nos damos la mano, nos deseamos suerte, el ritual.

08:00. El primer cohete, el corazón a mil   ***sin embargo***   ahora nada importa, no puedo caerme, están muy cerca, a punto de alcanzarme...

08:01. Gritos, empujones, el sonido de las pezuñas   ***Eso sí***   consigo meterme entre los corredores, en sus caras hay miedo, han visto que esto no tiene gracia.

08:02. Se acabó   ***Ahora bien***   Sólo queda un río de heridos...

Últimos comentarios:

#Sugebeltza#: ¡Los sanfermines no los comparto!   ***Pero eso sí***   me gustó el relato...

#Alotroladodelrío#: Yo   ***en cambio***   no lo veo una atrocidad, es parte de nuestra cultura.

#SofiaRJaca#: ¡Impresionante! ¡Genial!   ***Aunque por el contrario***   es una lástima por los heridos   ***con todo***   ya sabes a lo que te atienes...

#Zipirot#: Bueno, yo nunca pisaré una plaza de toros   ***Sin embargo***   los encierros son otra cosa, pues está prohibido tocar al toro.

(Adaptado de: http://www.viajeros.com/diario4994.html)

Messenger

EN REALIDAD, ESPAÑA TIENE SUS TEBEOS.
CONECTORES DE REFUERZO ARGUMENTATIVO:
EN REALIDAD, EN EL FONDO...

EMPIEZA SABIENDO LO QUE VAS ESTUDIAR:

Conectores de refuerzo argumentativo: *en realidad, en el fondo, de hecho.*
Conectores de concreción: *en concreto, en particular, por ejemplo.*

SE USAN PARA:

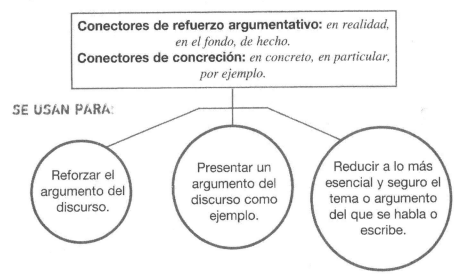

Reforzar el argumento del discurso.

Presentar un argumento del discurso como ejemplo.

Reducir a lo más esencial y seguro el tema o argumento del que se habla o escribe.

TEBEOS SÍ, GRACIAS.

Lee atentamente el blog.

LA HISTORIA DEL CÓMIC EN PAÍSES DE EUROPA

Alemania tuvo a dos niños terribles del humor alemán, ***en particular***, la pareja *Max und Moritz*. Por otra parte, en Bélgica, nace una de las tiras más famosas: *Tintín* con su perrito Milú, el capitán Haddock, Bianca Castafiore... La historieta italiana (fumetti) nació en el *Corriere dei piccoli*, con tiras dedicadas a niños. En Inglaterra los primeros cómics satirizaban los vicios y los disparates sociales. Aunque, ***en el fondo***, *Ally Sloper* es considerado como el primer personaje del cómic inglés. En España, los tebeos nacieron por el año 1865, ***en concreto***, con la publicación dedicada a la sátira política llamada «Caricatura». Pero es, ***en realidad***, a partir de 1917, cuando el cómic cobra más importancia, gracias a los dibujos de gran calidad de la revista infantil *TBO*. **De hecho**, con el nombre de esta revista se creó el término «tebeos» para referirse a los cómics en España. En 1921 se comenzó a publicar la revista *Pulgarcito* donde aparecieron personajes como Zipi y Zape de Escobar, Las hermanas de Vázquez y Mortadelo y Filemón de Francisco Ibáñez. En cuanto a los personajes cómicos se han de citar, **por ejemplo**, a Pepe Gotera y Otilio, Rompetechos, el botones Sacarino (todos de Ibáñez), Carpanta (de Escobar), Anacleto (de Vázquez), etc. Asimismo, entre los personajes más nuevos se encuentran Superlópez (de Jan), Mot (de Nacho y Azpiri), Goomer (derecha, arriba, de Ricardo y Nacho), etc.

(Adaptado de: http://www.todohistorietas.com.ar/historia.htm)

¡BUSCA, ENCUENTRA Y COMPARA!

Lee con atención las reglas.

EN REALIDAD / EN EL FONDO / DE HECHO

- **En realidad:** equivale a *realmente, sin duda alguna.*

  Presenta una realidad que lo diferencia de otro argumento que muestra una apariencia.

- **En el fondo:** equivale a *esencialmente, en lo esencial.*

  Presenta un argumento fuerte, pero casi siempre implícito.

- **De hecho:** equivale a *efectivamente, evidentemente.*

  Introduce un hecho cierto y confirmado para evitar que pueda ser discutible o probable.

OJO

No confundir *en efecto* con *de hecho*. *En efecto* también equivale a *efectivamente, evidentemente*, pero introduce una demostración que desarrolla lo expuesto anteriormente y lo confirma. Es muy frecuente en el registro formal y escrito, sobre todo, en el ensayo.

EN CONCRETO / EN PARTICULAR / POR EJEMPLO

Los conectores de concreción se usan en el discurso para determinar o explicar algo con todos los detalles precisos, exactos, concretos.

- **En concreto:** equivale a *de un modo concreto, exactamente, precisamente.*

- ***En particular:*** equivale a *especialmente, concretamente, específicamente.*

- ***Por ejemplo:*** equivale a *ejemplifiquemos, citemos.*

  Especifica lo dicho anteriormente. Orienta el texto hacia otro tema, según la intención del hablante. Enumera, ejemplifica.

  Así + por ejemplo: estos dos enlaces se complementan y el segundo refuerza el sentido ejemplificador; es difícil separar el valor consecutivo y el ejemplificador de *así.*

RECUERDA

Los conectores de refuerzo argumentativo y de concreción se usan en posición intermedia (entre comas); cuando los conectores *en realidad* y *en el fondo* oponen un argumento real frente a la apariencia del otro no van acompañados de comas. A veces, pueden ir en posición inicial, después de un punto y seguido y delante de una coma.

ACTIVIDADES

1 ¡CADA OVEJA CON SU PAREJA!
Lee atentamente la entrevista y pon a cada valor su correspondiente conector.

> NACIDO EN 1936 EN BARCELONA, IBÁÑEZ SE CONVIRTIÓ
> EN UN «DEVORADOR» DE CÓMICS CON TAN SOLO SIETE AÑOS,
> PUES PUBLICA SU PRIMERA CREACIÓN
> POR LA QUE RECIBIÓ CINCO PESETAS. AÑOS DESPUÉS
> NACIÓ UNA GRAN CREACIÓN, FAMOSA DEL CÓMIC UNIVERSAL:
> MORTADELO.
>
> **Periodista:** ¿Le molesta que se identifique a Ibáñez con Mortadelo y Filemón?
>
> **Ibáñez:** Pues no. A mí no me llega a molestar y más cuando un autor es siempre más conocido por un personaje [1] (*Explica con un detalle preciso, concreto*) _____.

Periodista: ¿Tienen algo de Ibáñez los personajes creados por él?

Ibáñez: No, nada de nada. Eso que dicen que, [2] (*Argumento fuerte, casi siempre implícito*) _____, el autor acaba convertido en sus propios personajes, es un tópico.

Periodista: ¿Qué otros dibujantes marcaron la línea de Ibáñez?

Ibáñez: Todos los dibujantes que somos y estamos nos hemos fijado, [3] (*Hecho cierto y confirmado*) _____, en otros dibujantes que fueron y estuvieron: Cifré, Vázquez...

Periodista: Alguien dijo que leyendo a Mortadelo y Filemón uno puede seguir la actualidad.

Ibáñez: Sí, claro que lo son, además con una doble ventaja. Normalmente los periódicos o las radios suelen darme ideas para mis guiones. [4] (*Dos enlaces que se complementan y el segundo refuerza el sentido ejemplificador*) _____, hago aparecer en mis aventuras a personajes de la política, pero como secundarios. [5] (*Determina un detalle preciso, exacto*) _____, el Rey y el Presidente del Gobierno son los que suelen aparecer en Mortadelo y Filemón.

Periodista: Usted ha tenido que luchar contra la censura franquista. Cuénteme alguna anécdota.

Ibáñez: Bueno, en la época de Franco, a veces ocurrían cosas impensables, pues no podías meterte ni con la política, ni el erotismo, ni la violencia. A mí, [6] (*Especifica, orienta, ejemplifica*) _____, me perseguían porque en una viñeta había un personaje que perseguía a otro con un gran martillo. Aquello venía devuelto por «exceso de violencia».

Periodista: ¿Por qué cree que son tan leídos los cómics de Ibáñez por niños y adultos?

Ibáñez: [7] (*Realidad que lo diferencia de una apariencia*) _____, no sé por qué. Ahora bien, ese es un gran premio para mí.

(Adaptado de: http://www.ramonmc.com/mortadelo/ ENT_GacetaUniversitaria.html)

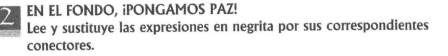

2 EN EL FONDO, ¡PONGAMOS PAZ!

Lee y sustituye las expresiones en negrita por sus correspondientes conectores.

CRÍTICAS DE LA PELI: *LA GRAN AVENTURA DE MORTADELO Y FILEMÓN,* JAVIER FESSER (2003)

Carlitos: Vergonzosa

Voy a hablaros de un pésimo intento. Me estoy refiriendo, claro está, a *La Gran Aventura de Mortadelo y Filemón* de Fesser, pésima visión del cómic con muchísimas incongruencias. [1] ***Ejemplifiquemos*** _____: Se nos presenta al *Súper* sin sustancia, cuando en el cómic no es así. Además, Ibáñez no ha hecho jamás, [2] ***evidentemente*** _____, referencias de corte erótico o sexual en sus cómics como se nos enseña en la película; Filemón no se corresponde con la realidad del cómic, es decir, lleva siempre la iniciativa y, así, se omite lo más gracioso de los verdaderos Mortadelo y Filemón: las peleas entre ellos. Otro fallo imperdonable.

Mortadelita: ¿O esperabais otra cosa?

Reconozco que tengo debilidad por Mortadelo, y sinceramente, creo que es bastante aceptable el resultado. Llevar a la pantalla grande a Mortadelo y Filemón resulta, [3] ***esencialmente*** _____, todo un reto. Los primeros minutos de la peli son trepidantes, [4] ***exactamente*** _____, igual que el arranque de Ibáñez. Sinceramente creo que el objetivo está más que cumplido, por eso no entiendo tanta crítica, ¿por qué demonios fuisteis a verla?

Bonifacio: Insulto a la inteligencia de Ibáñez

Muchos humoristas se estrellan estrepitosamente cuando intentan trasladar a la gran pantalla. Los personajes tienen muy poco que ver con los originales, con lo que esta producción se convierte en un auténtico insulto para Mortadelo y sus lectores, [5] ***especialmente*** _____, y para el cine español en general.

Súper Fesser: ¡Aquí llegan los refuerzos!

La Gran Aventura de Mortadelo y Filemón es sin duda una fiel representación de los cómics de Ibáñez en la gran pantalla. Los actores están, [6] ***realmente*** _____, bien escogidos. Y es que no hay nada mejor para adaptar un cómic o libro a la gran pantalla que darle un toque personal, que Fesser consigue de forma sobresaliente.

(Adaptado de: http://www.filmaffinity.com/es/reviews/1/719992.html)

Messenger

---

3 ¡VAMOS ALLÁ, POR EJEMPLO!

Corrige y sustituye los conectores en negrita por la opción correcta.

CARPANTA, PEPE GOTERA Y OTILIO, BOTONES SACARINO Y SUPERLÓPEZ

Carpanta es un hombre bajito de edad indefinida, creado por el dibujante español José Escobar en la revista *Pulgarcito* (1947). [1] ***Por ejemplo*** _____, Carpanta procede de la voz coloquial que significa «hambre violenta». Calmar el hambre es su único objetivo, pero nunca lo consigue. La serie refleja la España de posguerra, y la crítica social debía controlarse para evitar problemas con la censura franquista. [2] ***En realidad*** _____, a finales de los cincuenta, la censura estuvo a punto de cancelar la serie, aduciendo que «en la España de Franco nadie pasa hambre». La popularidad de la serie fue tan grande que algunos lectores llegaron a enviar comida o dinero a la redacción de *Pulgarcito* para remediar la situación de Carpanta. Pepe Gotera y Otilio y el Botones Sacarino fueron creados por Francisco Ibáñez. Pepe Gotera y Otilio forman una empresa de reparaciones y chapuzas. [3] ***En el fondo*** _____, Pepe Gotera es el jefe, el capataz, y Otilio es el currante, aunque, [4] ***en particular*** _____, piensa más en la hora del bocata que en ponerse a trabajar. Pepe Gotera acaba pagando las meteduras de pata de su socio. En esta historieta está basada la serie *Manos a la obra*, emitida por Antena 3 entre 1998 y 2001. El botones Sacarino trabaja en un periódico y tiene que limpiar y ordenar los despachos, hacer todo tipo de recados, etc. Pero, [5] ***en concreto*** _____, no le gusta trabajar y siempre que puede duerme la siesta o se distrae jugando a algo. Por culpa de esto, Sacarino provoca situaciones divertidas en las oficinas, las cuales molestan o perjudican al director o al presidente. Superlópez, creado por el dibujante español Juan López (Jan), es una parodia de Superman. [6] ***En realidad*** _____, procede de un planeta llamado Chitón que fue destruido, y fue adoptado por padres humanos en Barcelona, ocultándose bajo la identidad de Juan López. Tiene también una novia, Luisa Lanas. Entre otros poderes posee, [7] ***de hecho*** _____, la visión de rayos X, súper-soplido, súper-oído, vuelo y superinteligencia, súper-velocidad, es invulnerable excepto a la chiptonita que le produce alergia.

(Adaptado de http://es.wikipedia.org/wiki/Carpanta, http://es.wikipedia.org/wiki/Pepe_Gotera_y_Otilio, http://es.wikipedia.org/wiki/El_botones_Sacarino, http://es.wikipedia.org/wiki/Superl%C3%B3pez)

4 ¡LA PRUEBA DEL DELITO!

Lee atentamente el correo electrónico y completa los espacios con una de las opciones de los recuadros. Ojo, en ocasiones se puede elegir más de un conector.

De hecho — En concreto — En el fondo — En realidad — En particular — Así, por ejemplo

¡Saludos!

Mando el texto informativo de Mortadelo y Filemón que se me pidió la semana pasada. Al mandar una foto adjunta de los personajes, se me han perdido los conectores...

Mortadelo y Filemón: dos universales.

El 20 de enero de 1958, en el mítico número 1.394 de *Pulgarcito*, (1) _____ la revista infantil más popular del momento, nació Mortadelo y Filemón. Desde ese día se han vendido más de 150 millones de ejemplares y se ha traducido en muchas lenguas. (2) _____ Paling & Ko, en holandés, Mortadela e Salamão en portugués, Flink och Fummel en sueco, Flip & Flop en danés, Mortadel et Filémon en francés (también Futt et Fil), Mortadella e Filemone en italiano (también Mortadello e Polpetta), Clever & Smart en noruego, checo y alemán, Zriki Svargla & Sule Globus en serbo-croata, Mortadelc pa File en esloveno... Y, además, se ha llevado al cine. Así pues, dice el propio Ibáñez: «(3) _____, mis personajes han viajado mucho más que su propio autor». Mortadelo es, (4) _____ el alma de los dos agentes secretos y, (5) _____, tiene gran capacidad para disfrazarse y para meterse en líos. Filemón teóricamente es el cerebro de la pareja y la mayoría de las veces es el responsable por las meteduras de pata, los errores de Mortadelo y entonces se enfada como un niño. El Súper es el Jefe de ambos y, por eso, les encarga todo tipo de misiones. Eso sí, para resolverlas tienen al profesor Bacterio, un científico loco que hace experimentos para que puedan resolver sus misiones. Sin embargo, siempre comete algún «pequeño» error y los agentes lo odian. La señorita Ofelia es la secretaria del Súper, una rubia gordita con muy mala leche que siempre se pelea con los agentes, pues siempre le gastan bromas, aunque, (6) _____, Ofelia anda enamorada de Mortadelo y no puede resistirse a sus encantos.

(Adaptado de: http://www.mortadeloyfilemon.com/personajes/index.asp)

5 **¡EL MAR ESTÁ REVUELTO!**
Lee y sustituye los conectores en negrita por otros que sean sinónimos.

ZIPI Y ZAPE

Escrito por Mortadelito, Junio 28, 2008:

Después de escribir sobre *Mortadelo y Filemón* la semana pasada, me ha entrado la nostalgia, así que ha llegado el momento de hablar de otro icono de mi infancia: *Zipi y Zape*. Recuerdo que en plena adolescencia le pregunté a una chica si había leído tebeos de *Zipi y Zape*. Todavía recuerdo su respuesta porque fue una de esas cosas que, [1] ***en el fondo*** _____, me ha dejado marcada de por vida: «no, no los he leído». Bueno, [2] ***de hecho*** _____, era inconcebible para mí, pensar que en la infancia no se leyeran tebeos. [3] ***Por ejemplo*** _____, Mortadelo y Filemón, Zipi y Zape, el Botones Sacarino, Pepe Gotera y Otilio, etc. Mortadelo y Filemón sobreviven, pero los demás han caído en el olvido, [4] ***en particular*** _____, Zipi y Zape dos hermanos gemelos, uno rubio y el otro moreno. Gamberros y malos estudiantes, su máximo sueño es conseguir una bicicleta para cada uno. Bueno, [5] ***en realidad*** _____, ahora lo de la bicicleta suena casi esperpéntico cuando vemos que todos los niños de hoy tienen varias consolas de videojuegos en su casa. De todos modos, hay que decir que la historia de Zipi y Zape es, [6] ***en concreto*** _____, una historia que nació en los tiempos de posguerra española y que se ha quedado ya bastante anticuada. En fin, es una lástima que con el paso del tiempo hayamos ido perdiendo a todos estos personajes.

(Adaptado de: http://www.untebeoconotronombre.com/)

¡TOCA EL FLAMENCO E INCLUSO LO CANTA!
CONECTORES ADITIVOS:
ADEMÁS (DE), INCLUSO (DE)...

EMPIEZA SABIENDO LO QUE VAS ESTUDIAR:

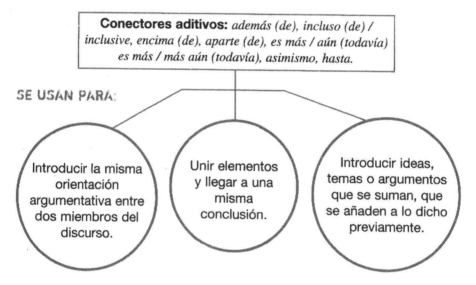

Conectores aditivos: *además (de), incluso (de) / inclusive, encima (de), aparte (de), es más / aún (todavía) es más / más aún (todavía), asimismo, hasta.*

SE USAN PARA:

Introducir la misma orientación argumentativa entre dos miembros del discurso.

Unir elementos y llegar a una misma conclusión.

Introducir ideas, temas o argumentos que se suman, que se añaden a lo dicho previamente.

FLAMENCO SÍ, GRACIAS.

Lee atentamente el chat.

¡BIENVENIDOS AL CHAT EL FLAMENCO ES LA MEJOR MÚSICA QUE HAY EN EL MUNDO!

La Niña de los Peines_olé: Hola a todos. Me gustaría saber qué entendéis por flamenco y, **asimismo**, qué es lo que veis en el cante y baile porque no lo entiendo.

José Mercé_Ay: Hola. Yo te voy a hablar del cante pues soy un cantaor, un cantante de flamenco. El cante es un canto popular andaluz y el flamenco viene de ciertas manifestaciones socioculturales asociadas al pueblo gitano,

con especial arraigo en Andalucía. **Más aún todavía**, el cante flamenco es un canto andaluz agitanado y el cante hondo, o cante jondo es el más genuino andaluz, de profundo sentimiento.

Carmen Linares_08: El arte jondo es lo mejor. **Es más**, para mí, el flamenco es la mejor música del mundo. **Aparte**, me realiza como ser humano, expresa mis sentimientos y da lo que llevo dentro gracias al duende, un encanto misterioso que no se puede explicar con palabras.

Rafael Amargo_01: No entiendo a la gente que no llega a la esencia gitana, a nuestra esencia. Pero bueno no me preocupa pues soy un bailaor con mucho éxito y, **aún es más**, con muchos fans que vienen a verme y a disfrutar del duende que llevo dentro e **inclusive de** las soleás, bulerías, seguiriyas... Acompañados de la guitarra y su tocaor.

Antonio Gades: E **incluso** tu público ve el «desplante» y el zapateado que marqué yo con gran maestría, pero que tú, **encima**, me has alcanzado y lo haces muy requetebién. **Más aún**, has llegado a ser todo un gran maestro en esos golpes fuertes dados con el pie contra el suelo correspondiéndose con la guitarra al final de la melodía y esa combinación rítmica de sonidos con la punta, el tacón y la punta del pie.

La Niña de los Peines_olé: Bueno, bueno... Aún no me ha quedado claro el complejo mundo del flamenco y, de repente, se habla, **además**, de soleás, bulerías, seguiriyas que no sé qué son.

Estrella Morente: Bueno, no te preocupes que, **aparte de** explicártelo yo, te voy hasta ampliar la lista. «Por Bulerías» es un cante y baile de ritmo muy vivo. «Por Seguiría» es un cante trágico y triste, y otro cante es la Solea. **Además de** estas, como cantes, están el Fandango procedente de Andalucía, la Petenera de Cádiz, las Tonás, un cante sin guitarra... Bueno, **y hasta** hay un cante típico en Semana Santa de origen religioso popular que se llama la Saeta.

¡BUSCA, ENCUENTRA Y COMPARA!

Lee con atención las reglas.

!

RECUERDA

Lenguaje oral, coloquial: *aparte, además, incluso, inclusive, es más, encima (de), hasta.*

Lenguaje escrito y formal: *aparte de, además (de), incluso (de), es más, asimismo, aún (todavía) es más/más aún (todavía), hasta.*

Este tipo de conectores pueden usarse acompañados de y, ni, pero tanto en el lenguaje oral como escrito.

Se usan en posición inicial (detrás de un punto y delante de una coma) y también en posición intermedia (entre comas).

ADEMÁS (DE) / INCLUSO (DE) / INCLUSIVE / ENCIMA (DE) / APARTE (DE)

- **Además (de):** equivale a *a lo dicho hay que añadir una segunda información de mayor importancia.*

- Añade un argumento de acumulación, una suma con una enumeración, puede reforzar un punto de vista. A veces: **No sólo... sino + además**.

- Introduce en un razonamiento un nuevo punto de vista: **En primer lugar + además, + en segundo lugar**.

- **Incluso (de) / Inclusive:** equivale a *con inclusión (de), incluyendo el último objeto nombrado.*

- Provoca una sorpresa en el oyente e insiste en la actitud del hablante, no esperada por el oyente.

- **Encima (de):** equivale a *y para colmo, y lo que faltaba (para el duro).*

- Añade una valoración personal: queja, malestar, reproche, ofensa, sorpresa... Un valor negativo que emite el hablante para influir en el oyente.

!

OJO

Y + encima añade información de desacuerdo, queja que equivale a *a pesar de todo.*

- **Aparte (de):** añade información detallada para justificar con más fuerza una opinión, aunque no es ni necesaria ni coherente con lo dicho antes.

OJO

No confundir *aparte*, que se usa en posición final con el significado de *fuera (de)*, con *excepción de*, *exceptuando* y no va acompañado de comas con la expresión de lugar *a parte*. Se usa en la lengua culta acompañado de un verbo: *aparte de que* + indicativo.

ES MÁS / AÚN (TODAVÍA) ES MÁS / MÁS AÚN (TODAVÍA)

Añaden información, más argumentos que se suman y que se repiten con otras palabras mostrando más fuerza argumentativa que lo anterior. A veces: **Lo que + es más**, **Es más + encima**

ASIMISMO / HASTA

• **Asimismo:** equivale a *también, igualmente*. Relación de igualdad, de continuidad de una exposición que ordena y añade una información a otra anterior.

OJO

No confundir el conector sumativo *asimismo* con *así mismo* y *a sí mismo*: *Así mismo* expresa modo o manera. Equivale a *de este modo preciso o manera precisa*. *A sí mismo* expresa una acción reflexiva en una persona, es una acción que la persona realiza sobre sí misma.

• **Hasta:** equivale a *incluso a*. Grado máximo de lo que se añade, es decir, ya no se puede añadir nada más.

OJO

No debe confundirse *hasta* conector con *hasta* preposición de límite de tiempo y espacio ni tampoco con *hasta que* oración temporal.

OJO

Pero + además / incluso / encima / aparte / es más / aún es más / más aún señalan contraargumentación débil. Añaden información que se opone a lo dicho antes.

ACTIVIDADES

1 **¡CADA OVEJA CON SU PAREJA!**
Lee atentamente el texto y elige el conector adecuado a cada explicación.

PACO DE LUCÍA

Más conocido por su nombre artístico que por el de Francisco Sánchez Gómez, Paco de Lucía nació en Algeciras en 1947, en un barrio popular y gitano donde, *aparte*, se familiarizó con el flamenco desde su más tierna infancia, y lo convirtió en un gran músico español y, *además*, como el guitarrista flamenco de mayor prestigio internacional. De su padre, Antonio y de su hermano aprendió los primeros rasgueos, y a los seis años comenzó a estudiar guitarra «en serio», e *incluso* su madre, Luzía, lo veía como una inversión de futuro. *Más aún todavía*, Paco comenzó a actuar a los doce años junto a su hermano Pepe y cosechó el aplauso de muchos tablaos de Cádiz. *Inclusive*, con catorce años obtuvo un premio en el Concurso Internacional de Arte Flamenco y, *encima*, inició su carrera internacional emprendiendo su primer viaje a Estados Unidos.

De *La fabulosa guitarra de Paco de Lucía* (1967) y *Fantasía flamenca* (1969), tocó algunos temas en 1970 en el Palau de la Música de Barcelona, por el bicentenario de la muerte de Beethoven. Algunos biógrafos lo sitúan como el momento de su consagración. Años después en julio de 2004 era distinguido con el Premio Príncipe de Asturias de las Artes y en septiembre obtenía también un Grammy Latino al mejor álbum de flamenco por *Cositas buenas*, creado tras la muerte de Camarón de la Isla y la de sus padres que agravaron, *asimismo*, la úlcera que padecía y lo sumieron en una profunda depresión que lo alejaron de la composición. *Aparte de* sus padres, el guitarrista de Algeciras estuvo estrechamente unido a Camaron de la Isla. *Es más*, formaron la mítica pareja Camarón - Paco de Lucía, cuyas cualidades extraordinarias y, *además de* la voluntad de convertir el flamenco en algo vivo, ha quedado impreso en muchos discos y *hasta* en la memoria del guitarrista, que recuerda aquellos años como la etapa más bonita de su vida.

Paco de Lucía se convirtió en estrella ya en 1973 y en un revolucionario del género, con la rumba *Entre dos aguas* y, *aún es más*, conquistó a un público joven que se interesó por primera vez por la guitarra flamenca.

(Adaptado de: http://www.biografiasyvidas.com/biografia/l/lucia.htm)

1. Añade una valoración personal de admiración: _____ .
2. Equivale a *Incluso a*. Es el grado máximo de lo que se añade:
   _____ .
3. Añaden argumentos que se suman y que se repiten con otras palabras:
   _____ .
4. Relación de igualdad relacionada con lo anterior: _____ .
5. Equivale a *a lo dicho hay que añadir una segunda información de mayor*
   importancia: _____ .
6. Añade información detallada. Justificar con más fuerza una opinión:
   _____ .
7. Equivale a *con inclusión (de), incluyendo el último objeto nombrado*
   _____ .

ES MÁS, ¡PONGAMOS PAZ!
Sustituye el conector *además* por otros con el mismo significado.

EL FLAMENCO AL OTRO LADO DEL MUNDO

El flamenco ha traspasado fronteras llegando a países como Francia, Alemania, Italia, Suíza, Inglaterra, Australia, Estados Unidos, pero si una afición flamenca salta a la vista, esa es la japonesa. Los quince mil kilómetros que separan al país de tierras andaluzas, no suponen impedimento para los miles de japoneses enamorados del arte jondo. [1] ***Además***
_____, es un país que se autoabastece con artistas locales sobre todo del baile, instruidos en las cientos de academias repartidas por el país o en ciudades como Madrid y Sevilla. Japón, mira que está lejos Japón. Sin embargo, para los miles de japoneses enamorados del arte flamenco, la distancia no es barrera. Y muchos vienen a España para completar sus estudios. La mayoría son mujeres que dejan su trabajo y algunas, [2] ***además*** _____, dejan a sus maridos en Japón. Cuando vuelven a Japón, algunas, [3] ***además*** _____, se dedican a la enseñanza del tablao. [4] ***Además*** _____, Canadá es uno de los países donde el flamenco empieza a brotar con ganas y, [5] ***además*** _____ es considerada un potencial, hasta para artistas y profesionales internacionales como Paco de Lucía que ha visitado Montreal, Vancouver y Toronto. Toronto es hoy una importante referencia del flamenco en Canadá. Han abierto restaurantes y locales creados por españoles para disfrutar de su cultura. El Club Hispano sigue siendo el centro de reunión y el artífice de actividades culturales como el Festival Caravan, donde se ofrecen clases de flamenco y danza, y donde, [6] ***además de***

_____ eso, se celebran otras fiestas como los sanfermines. La distancia del resto de las ciudades canadienses con España mantiene aislado al país. Así lo asegura la sevillana Carmen de Torres, primera promotora del flamenco: «Era frustrante no encontrar nada de flamenco, ni siquiera en televisión. [7] *Además* _____, llegué a escribir a los teatros para que trajeran espectáculos, nunca lo hicieron». Inició su carrera de forma autodidacta y desplazándose temporadas largas a España. «Fue entonces cuando empecé a organizar mis espectáculos en Canadá y, [8] *además* _____, traje a algún artista de España.»

(Adaptado de: http://www.flamenco.world.com/magazine/about/japon/ejapo15062004 1.htm)

3 **APARTE DE TODO, ¡VAMOS ALLÁ!**
Lee con atención la entrevista a José Mercé y pon los puntos y las comas que faltan.

BULERÍAS, TANGOS, ALEGRÍAS, SOLEÁ, FANDANGOS *MÁS AÚN* ROCK, RUMBA A RITMO DE SALSA. ESTE ES EL VARIADO MENÚ DEL ÚLTIMO DISCO DE JOSÉ MERCÉ.

Periodista: ¿En el disco combinas temas más clásicos y temas que se salen del flamenco?

J. Mercé: *Aparte de* la violencia, del poder, hay otros temas sociales: no más guerras, no más violencia *Inclusive* a través del disco mando un mensaje pidiendo que nos portemos un poquito mejor, que seamos más humanos.

Periodista: En los conciertos también haces la diferenciación, pop, flamenco.

J. Mercé: En la primera parte hago una presentación de los cantes más clásicos y tradicionales del flamenco *Asimismo* yo en mis conciertos trabajo el martinete, la toná, la soleá, la seguiriya... Más clásico que eso no hay nada. *Aún es más* incorporo a mi gente después de este primer repertorio clásico. Gente joven que escucha con gran respeto esos cantes tradicionales y les llega dentro y eso me da una gran satisfacción y *hasta* me la da el que puedan participar del

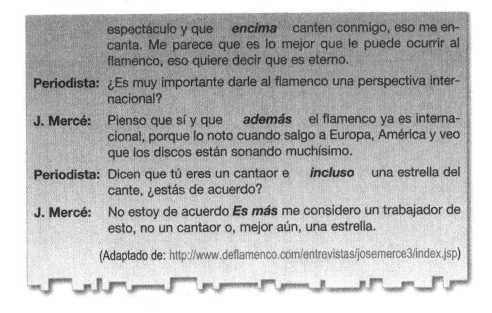

espectáculo y que **encima** canten conmigo, eso me encanta. Me parece que es lo mejor que le puede ocurrir al flamenco, eso quiere decir que es eterno.

Periodista: ¿Es muy importante darle al flamenco una perspectiva internacional?

J. Mercé: Pienso que sí y que **además** el flamenco ya es internacional, porque lo noto cuando salgo a Europa, América y veo que los discos están sonando muchísimo.

Periodista: Dicen que tú eres un cantaor e **incluso** una estrella del cante, ¿estás de acuerdo?

J. Mercé: No estoy de acuerdo **Es más** me considero un trabajador de esto, no un cantaor o, mejor aún, una estrella.

(Adaptado de: http://www.deflamenco.com/entrevistas/josemerce3/index.jsp)

¡LA PRUEBA DEL DELITO!
Completa con las opciones que se dan al principio de cada opinión.

| Encima | Aparte de | Asimismo |

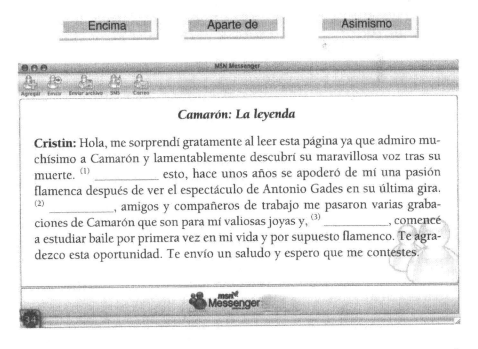

Camarón: La leyenda

Cristin: Hola, me sorprendí gratamente al leer esta página ya que admiro muchísimo a Camarón y lamentablemente descubrí su maravillosa voz tras su muerte. (1) _____ esto, hace unos años se apoderó de mí una pasión flamenca después de ver el espectáculo de Antonio Gades en su última gira. (2) _____, amigos y compañeros de trabajo me pasaron varias grabaciones de Camarón que son para mí valiosas joyas y, (3) _____, comencé a estudiar baile por primera vez en mi vida y por supuesto flamenco. Te agradezco esta oportunidad. Te envío un saludo y espero que me contestes.

[UNIDAD 7] CONECTORES ADITIVOS...

| Más aún todavía | Es más |

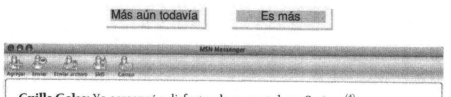

Guille Gales: Yo comencé a disfrutar de su cante hace 8 años. (4) _____, curiosamente fue a través de un amigo alemán con quién compartía piso en Salamanca. (5) _____, mi amigo lo escuchaba siempre en su habitación, mientras tomábamos café y charlábamos. Y así descubrí el duende. Me pone la piel de gallina. En fin, que ¡viva el flamenco! Y que lo disfrutemos. Gracias por la página.

| Inclusive | Hasta |

Paloma Reyes: Hola. Yo trabajé con Camarón en Torres Bermejas en 1967. Era un niño increíble y un día él me cantó para bailar y pusimos al público de pie que estuvo aplaudiendo casi 15 minutos. Fue maravilloso. Jamás lo olvidaré. Si (6) _____ a las niñas «las bailaoras» las tenía loquitas porque era guapo, muy resultón e (7) _____ como era muy tímido, gustaba.

| Incluso | Además |

Cordobesita: Hola, Sólo quería decirte que me encanta tu página y el flamenco y, por supuesto, soy una gran admiradora del Maestro. Lo mismo que a ti te pasó cuando escuchaste a Camarón me pasó a mí cuando escuché la guitarra de Vicente Amigo, ¿lo conoces? Seguro que sí, (8) _____, tocó con Camarón (9) _____ el famoso tema *Soy gitano*.

5 ¡EL MAR ESTÁ REVUELTO!
Lee y completa con las indicaciones que se dan en el blog.

EL «DUENDE» DEL FLAMENCO

Federico García Lorca era un gran defensor de la cultura andaluza y, [1] *(Relación de igualdad)* _____, del flamenco. [2] *(Añade información detallada que justifica una opinión)* _____ esto, Lorca era, [3] *(Con inclusión)* _____, un poeta sensible y dramaturgo que observaba con mucha atención la miseria de los pobres y la posición subordinada de la mujer. En el flamenco y, [4] *(Suma argumentos que se repiten)* _____, en su esencia, el «cante jondo», Lorca encontraba un tesoro cultural del pueblo andaluz atormentado con raíces en culturas ancestrales. [5] *(Argumentos que se repiten con otras palabras)* _____, según la tradición flamenca, los mejores cantaores, tocaores o bailares se encuentran poseídos por una inspiración sobrenatural que se llama «duende», una fuerza que se manifiesta por una intepretación concentrada de un cante o baile en la que la expresión es tan grande que los artistas, [6] *(Incluyendo el último objeto nombrado)*, _____ su público entran en un estado de éxtasis. Esto puede ser acompañado por exclamaciones como olé y, [7] *(a lo dicho hay que añadir una segunda información de mayor importancia)*, _____ por lágrimas, conmoción y excitación, y, a veces, [8] *(Grado máximo de lo que se añade)* _____ con el arranque de pelos, el desgarramiento de ropa, etc. Aun así, el duende flamenco no se cree que sea una fuerza oscura salida del infierno. [9] *(Argumentos que se repiten con otras palabras)* _____, podemos encontrar muchas remisiones a Undebé (Dios) en las letras de las coplas flamencas, una palabra gitana derivada del término sánscrito «deva». El duende en el flamenco tiene una función catártica que, [10] *(Valoración personal)* _____, te pone en contacto contigo mismo, con tus motivos y sentimientos más profundos.

(Adaptado de: http://www.animalfreedom.org/espagnol/opinion/duende.html)

CONECTORES RECAPITULATIVOS: *EN CONCLUSIÓN* Y CONECTORES REFORMULATIVOS: *EN CUALQUIER CASO...*

EMPIEZA SABIENDO LO QUE VAS ESTUDIAR:

Conectores recapitulativos: *en conclusión, en resumen, en suma, en síntesis, en definitiva, en resumidas cuentas, a fin de cuentas, en fin, total, al fin y al cabo, después de todo.*
Conectores reformulativos: *en cualquier caso, en todo caso, de todos modos.*

SE USAN PARA:

Introducir una conclusión, recapitulación o cierre del tema, argumento o discurso.

Reformular lo expuesto o dicho previamente y restarle importancia.

Presentar una conclusión contraria, una contraargumentación.

CURIOSIDADES SÍ, GRACIAS.

Lee atentamente el siguiente foro.

MSN Messenger

Agregar   Enviar   Enviar archivo   SMS   Correo

Estimados foreros:

La fregona, el chupa chups y el futbolín tres inventos que usaban un palo a algo. **En síntesis**, en eso se centraron estos grandes inventos españoles, ya universales. Manuel Jalón, ingeniero aeronáutico es, **a fin de cuentas**, para muchos un completo desconocido. Sin embargo, es uno de los inventores españoles más importantes junto a Miguel Servet, Ramón y Cajal y otros pues, *después de todo*, fabricó en 1956 la fregona. *En fin*, convenció a una fábrica de algodón de Zaragoza, la hizo y con el tiempo se hizo internacional. *En suma*, también creó la primera jeringuilla de uso médico y otros productos, todos patentados. Asimismo, el chupa chups nació en 1958 en Asturias gracias al catalán Enrique Bernat, quien pensó que no estaría mal que las bolas azucaradas llevaran un palito para evitar pringarse. *En conclusión*, este invento ha conseguido que hasta rusos, japoneses, alemanes, o americanos sean auténticos fans. Por otra parte, se dice que el futbolín fue creado en Alemania, en Suiza... *En cualquier caso*, en España se considera un invento suyo, gracias a la leyenda difundida por el supuesto creador, Alexandre Finisterre. *De todos modos*, es difícil demostrarlo pues, aunque fue patentado en 1937, Finisterre perdió los documentos en una tormenta. Después con el tiempo introdujo algunos cambios. *Total*, que se expandió rápidamente por España y fue asumido como un juego nacional. Saludos.

Mensajes: 1.968

¡Puff! Esto no lo sabía y tu texto es genial pero, *en todo caso*, me temo decirte amigo mío, que la gente no se creerá que hayan sido creados por los españoles pues, *al fin y al cabo*, los mejores inventos han venido siempre de otros países... Saluditos.

Mensajes: Cóctel Molotov

Si supieras todo lo que los españoles han inventado... *En resumen*, el cóctel Molotov, ¿lo crearon los finlandeses? Pues no, lo crearon los republicanos durante la Guerra Civil.

Mensajes: Último de su especie

¡Exacto! Los españoles hemos creado, *en resumidas cuentas*, numerosas cosas y muchas han pasado fronteras como el botellón. *En definitiva*, muchísimas cosas, pero creo que no hemos sabido aprovecharlas como se debe.

(Adaptado de: http://forodeciclismo.mforos.com/30999/
4200435grandesinventosespanolesdelsigloxx/)

msn
Messenger

¡BUSCA, ENCUENTRA Y COMPARA!

Lee con atención las reglas.

RECUERDA

Los conectores recapitulativos y reformulativos se usan en posición inicial (detrás de un punto y delante de una coma) y también en posición intermedia (entre comas, punto y coma delante y una coma al final).

EN CONCLUSIÓN / EN RESUMEN / EN SUMA / EN SÍNTESIS

- **En conclusión:** presenta una afirmación final de cierre o como colofón, derivada o deducida de todo lo dicho anteriormente. Equivale a *recapitulando, finalmente.*
- **En resumen:** presenta una idea principal y abreviada que condensa lo dicho anteriormente. Equivale a *resumiendo, en una palabra.*
- **En suma / En síntesis:** agregan, recopilan lo más importante de lo dicho anteriormente.

Equivalen a *recapitulando, en pocas palabras.*

EN DEFINITIVA / EN RESUMIDAS CUENTAS / A FIN DE CUENTAS / AL FIN Y AL CABO / DESPUÉS DE TODO

Presentan el primer miembro como minucioso, extenso, detallado, redundante para reformular y reforzar la conclusión implícita en el segundo miembro.

Equivalen a *resumiendo brevemente, al final, definitivamente.*

OJO

En definitiva / a fin de cuentas / al fin y al cabo / después de todo recapitulan, dan una conclusión contraria a la esperada. Equivalen a *después de vencidos todos los obstáculos* y a veces, *en realidad, en el fondo.*

EN FIN / TOTAL

En fin y **total** son frecuentes en el lenguaje coloquial.

- **En fin:** reformula una conclusión implícita. Equivale a *resumiendo, últimamente.* Manifiesta resignación o divagación con una conclusión no esperada: **en fin... / pero + en fin.** Equivale a *terminando con indignación, concluyendo puede ser que...*
- **Total:** introduce una conclusión normal en la conversación, a veces, con valor pesimista, negativo. Equivale a *resulta que.*

OJO

No confundir *total* conclusivo con *total* sustantivo o adjetivo que significa «estupendo genial».

EN CUALQUIER CASO / EN TODO CASO / DE TODOS MODOS

- **En cualquier caso:** equivale a *en cualquier circunstancia.* Conclusión indiscutible o un comentario nuevo definitivo.
- **En todo caso:** equivale a *a lo sumo, como máximo; al menos, como mínimo.* Comenta el mismo tema que el ya mencionado, quitándole importancia o credibilidad.
- **De todos modos:** equivale a *de todas maneras / formas, de cualquier modo / forma / manera.* Modo o circunstancia para llegar a una conclusión determinada.

OJO

A veces, el primer miembro lleva a una conclusión contraria. Van acompañados de *pero* y *sino* que manifiestan un rechazo de lo expresado previamente.

——ACTIVIDADES——

1 ¡CADA OVEJA CON SU PAREJA!
Lee y completa con el conector correspondiente según el valor.

**¡CHURROS Y PORRAS, TORRIJAS Y BUÑUELOS
ALGO MÁS QUE UNA TRADICIÓN!**

¡Una de churros, por favor! Palabra mágica tanto al paladar como al origen. ¡Qué si los moros, qué si los pastores! [1] (*Terminando con indignación*) _____... [2] (*Resulta que*) _____, lo que si se sabe es que a principios del siglo XIX se empezaron a consumir en Cataluña, a saber, y se extendieron rápidamente por toda España y, [3] (*Recapitulando, en pocas palabras*) _____, por todo el mundo. [4] (*En cualquier cir-*

cunstancia) _____, desayunar churros y porras con chocolate o con café es en España una tradición muy antigua. Comprarlos en la churrería de la esquina y disfrutar de su reconfortante sabor tras una noche de fiesta es, (5) *(Después de vencidos todos los obstáculos)* _____, algo común en la vida de cualquier español. Para preparar una masa perfecta, (6) *(Definitivamente)* _____, hay que mezclar en orden harina de trigo, sal y, finalmente, agua caliente. Con la masa bien ligada, se mete y se pasa a «la churrera». (7) *(Resumiendo)* _____, mientras salen, se fríen en abundante aceite muy caliente hasta que estén dorados. Pero, (8) *(De todas maneras)* _____, las porras se elaboran de forma distinta. (9) *(En pocas palabras)* _____, se pone bicarbonato, sal, agua fría y, finalmente, se añade harina de trigo y se fríe en una gran rosca que se va troceando a la hora de comer. Otro dulce típico son las torrijas, (10) *(Resumiendo brevemente)* _____, un dulce tradicional de cuaresma, es decir, de Semana Santa, que consiste en una rebanada de pan empapada en leche caliente que, tras ser rebozada en huevo, se fríe con aceite muy caliente; (11) *(De cualquier modo)* _____, se aromatiza con canela o algún licor, y se endulza con miel o azúcar. Es un alimento, (12) *(Resumiendo brevemente)* _____, de origen humilde que llena el estómago y, por eso, se extendió rápidamente. En cambio, los buñuelos son un dulce típico de El Día de Todos los Santos o de las Fallas de Valencia. (13) *(Al menos, como mínimo)* _____, son también muy usados en otras Comunidades Autónomas. Así pues, se pone en un cazo al fuego con agua, leche, una pizca de sal, mantequilla y harina mezclada con levadura, azúcar y huevos. Después se pone aceite en una sartén, se hacen bolitas y se fríen. (14) *(Recapitulando, finalmente)* _____, ¡Estos dulces están de muerte!

2 EN FIN, ¡PONGAMOS PAZ!

Coloca los conectores adecuados en función de los valores que se indican entre paréntesis.

¡BIENVENIDOS AL CHAT AULA DE ESPAÑOL!
SALA DE BEBIDAS ESPAÑOLAS

#Tom#: ¡Hola! Estuve de Erasmus en Valencia y hay muchas cosas por conocer de la cultura española, sobre todo, bebidas. (1) (*Refuerza, reformula una conclusión implícita*) _____, que si vais, tenéis que probar el Agua de Valencia una bebida muy popular.

#Michelle#: Hola, yo también estuve pero, (2) (*Circunstancia. Conclusión determinada*) _____, nunca la bebí. Eso sí, probé la horchata, una bebida dulce que se hace con la chufa, un tubérculo que se cultiva en la comarca valenciana de L'Horta Nord. (3) (*Quita credibilidad al tema*) _____, eso es lo que me dijeron mis amigos valencianos. Se ponen las chufas en agua un día; luego se trituran hasta obtener una pasta y se añade un litro de agua, (4) (*Miembro extenso. Conclusión implícita*) _____, se prensa y se cuela todo y lista para beber.

#Tom#: ¡Me encanta esa bebida! Claro que la conozco, (5) (*Conclusión detallista e implícita*) _____, la horchata es internacional. A propósito, para hacer el agua de Valencia se echa en una jarra o cava, cointreau, zumo de naranja y azúcar y se mezcla todo bien. (6) (*Idea principal y abreviada que condensa*) _____, la proporción es, por un litro de zumo, una botella de cava y un chupito de cointreau y cuidadín, que se sube a la cabeza.

#Susan#: Hola, chicos. Yo no conocía ninguna de esas bebidas pues, (7) (*Valor antiorientado. Conclusión contraria*) _____, yo estuve en Asturias, famosa por la sidra, una bebida hecha con manzanas fermentadas... No sé si la conocéis, pero a mí, (8) (*Reformular y reforzar la conclusión*) _____, me maravilló la forma de servirla... (9) (*Agrega. Recopila lo más importante*) _____, el «echador» sujeta con un brazo la botella y pone el vaso inclinado en la otra mano.

#Robert#: Hola, cuando fui de vacaciones, descubrí muchas cosas. (10) (*Conclusión indiscutible. Comentario nuevo definitivo*) _____, yo voy a aportar mi granito de arena con el calimocho y el zurracapote que son del norte de España, pero, (11) (*Reformula conclusión implícita*) _____, se beben en todo el país. El calimocho, del nombre vasco «kalimotxo», es una mezcla de vinto tinto y coca cola a partes iguales y el zurracapote o el zurra es vino tinto con melocotones o limones, azúcar y canela.

#Michelle#: Sí, yo lo conozco y está super bueno. Pero, además, probé una variante que se hace con vino blanco y limón o naranja y tiene diferentes nombres. [12] (*Agrega. Recopila lo más importante*) _____, troncho, pitilingorri, caliguay, naranmotxo...

#Ale#: Bueno, aquí tanto hablar del norte y, [13] (*Conclusión normal en la conversación*) _____, que nadie habla del Tinto de Verano... Es una mezcla de vino tinto con gaseosa a partes iguales con una rodaja de limón y mucho hielo. [14] (*Afirmación final de cierre o como colofón*) _____, es una bebida conocida en España que sustituye a la sangría, pero nació en el sur y es típica de Andalucía.

Messenger

---

3 EN CUALQUIER CASO, ¡VAMOS ALLÁ!

Pon los signos de puntuación (comas, puntos...) correspondientes en cada conector.

EL COCHINILLO, LA PAELLA, EL GAZPACHO Y LA SANGRÍA: SU ORIGEN

Cuando se piensa en España, la variedad de comida y bebida es **después de todo** lo primero que viene a la mente. De hecho, se usan para socializar y reunirse con un cochinillo, una paella, una sangría, un gazpacho **En conclusión** comida y bebida son el pilar de la cultura española. El cochinillo, por ejemplo, es un plato básico en cualquier casa, aunque pertenezca a la gastronomía de Segovia **En cualquier caso** sus asadores son los verdaderos «templos gastronómicos» de esta cría de cerdo de 21 días de vida que genera una gran fuerza de atracción en los turistas pues **a fin de cuentas** son miles los que visitan para probar este cerdo lechal asado en el horno de leña con manteca, sal y agua. Pero **de todos modos** el momento más esperado es cuando los camareros trinchan, cortan al cochinillo

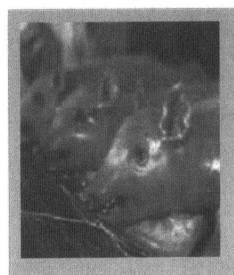

para servirlo con el borde de un plato ante los comensales *en suma* un rito que garantiza que la carne está en su punto, muy tierna por dentro y con la piel bien tostada y crujiente por fuera, tradición internacional como la paella, hecho que llena de orgullo a Valencia *En fin* la paella fue originalmente una comida de granjeros que consistía en arroz e ingredientes disponibles *En resumidas cuentas* el caracol era el ingrediente estrella, aunque también el conejo, el pollo y el azafrán para dar más sabor. Sin embargo, hoy la paella es más variada pues *al fin y al cabo* ofrece muchas maneras de prepararla, sobre todo con mariscos. Otro plato muy famoso consumido por los españoles, sobre todo en verano, es el conocido como el rey de las sopas frías, el gazpacho, nacido en Andalucía. Al igual que la paella, el gazpacho andaluz era *en síntesis* un plato hecho por y para los pobres, en cambio, hoy es un plato estrella nacional e internacional que tiene su base en el uso de ingredientes frescos como el tomate, el ajo, el pan, el pepino, el pimiento, el aceite de oliva, el vinagre, la sal y el agua *En todo caso* el gazpacho admite numerosas variantes y versiones personalizadas así como otra bebida que ha llegada a todos los rincones del planeta, la sangría, famosa limonada de vino que los turistas beben gustosamente en la playas del litoral durante el verano ignorando que la sangría no es un invento español pues *en definitiva* este refresco se documentó en España en la primera década del siglo XIX, mientras que los ingleses hablan de una bebida refrescante apreciada en las Antillas, a finales del siglo XVIII, llamada *sangaree*, término que los franceses adoptaron convirtiéndolo en *sanggris* *Total que* los anglosajones atribuyen el origen de la palabra al castellano *sangría*, aunque sea una bebida inventada por los ingleses *En resumen* algo de español hay en esta bebida hecha con vino, licor y frutas aunque sólo sea su nombre...

¡LA PRUEBA DEL DELITO!

Completa el siguiente texto con las opciones de los recuadros.

En fin	En síntesis	En cualquier caso
En conclusión	En resumidas cuentas	Al fin y a cabo
De todos modos	Total	En todo caso
A fin de cuentas	Después de todo	

El *botellón* es un fenómeno que se refiere, (1)_____, a una costumbre de consumir en grupos numerosos bebidas alcohólicas, refrescos, tabaco en la calle. (2)_____, existe también entre los abstemios, pero toman bebidas no alcohólicas, llamándolo *botellón light* o *botellón sin*. El motivo por el que esta costumbre está muy extendida en España desde finales del siglo XX es, (3)_____, el bajo coste de la bebida y el poder hablar sin música alta. (4)_____, el botellón ha provocado conflictos con el vecindario, suciedad, caída de ventas en los bares... (5)_____, las autoridades han tenido que actuar en consecuencia creando la Ley Antibotellón. Dicha ley otorga a los ayuntamientos control y penalización con multas, pero pueden crear espacios específicos, conocidos como *botellódromos* para evitar molestias, proporcionar medidas de higiene y seguridad... Sin embargo, su uso es escaso, por encontrarse lejos de las ciudades y pueblos. (6)_____, esta ley se modificó en 2006 no sólo para prohibir el consumo de bebidas en la calle sino también a los comercios la venta de alcohol desde las 22:00. Muchos han criticado esta ley como represora e incluso inútil pues, (7)_____, no ha sido nada eficaz para frenar los efectos del botellón. (8)_____, no sólo se practica en España, pues es un auténtico fenómeno en otros países... El consumo de alcohol se extendió en Alemania en 2006 gracias a un comunidad internauta de estudiantes que quedaban en la calle, metro o parques para beber, mientras que en Rusia es, (9)_____, un hábito tradicional y ha existido siempre como en la República Checa. En el Reino Unido, (10)_____, los jóvenes beben frente a los pub y en Birmania existe una variante que consiste en juntarse jóvenes, niños y ancianos por la noche para consumir alcohol en plazas, estaciones, calles sin salida... [11] _____, la Ley Antibotellón en España prohíbe el consumo de alcohol aunque no es efectiva contra dicho fenómeno, pues los jóvenes la siguen practicando.

(Adaptado de: http://es.wikipedia.org/wiki/Botell%C3%B3n)

5 **¡EL MAR ESTÁ REVUELTO!**
Lee y sustituye los conectores en negrita por otros sinónimos.

FORO DE CURIOSIDADES ESPAÑOLAS

Enviado por Curioso_01: *el origen del nombre de esta marca es...*
¡Hola! Soy curioso y estoy muy interesado en el origen de los nombres de las marcas españolas... [1] ***En fin*** _____, que lo dije en clase y ahora he de recopilar datos...

Enviado por Cotilla_009: *Danone*
¡Hola! Yo te puedo decir que *Danone* nació en 1919 en Barcelona gracias a Isaac Carasso y su primer yogur industrial. [2] ***En suma*** _____ el nombre *Danone* deriva de Daniel, el nombre de su hijo. [3] ***En cualquier caso*** _____, hay otra versión que dice que proviene de Daniel y de la palabra inglesa *one*.

Enviado por Curioso_01: *El Corte Inglés*
¡Bueno, no sabía que *Danone* fuera español! Yo no sé mucho y, [4] ***al fin y al cabo*** _____, aunque soy curioso no sé de dónde es *El Corte Inglés*. [5] ***De todos modos*** _____, sé que un empresario asturiano compró en 1935 la sastrería *El Corte Inglés* en la calle Rompelanzas de Madrid.

Enviado por Increíble_23: *Mercedes*
¡Hola! [6] ***En resumen*** _____, puedo decirte que el nombre del

coche *Mercedes* procede de una niña, hija de una española y un comerciante del automovilismo. [7] *Total* _____, que este decidió dar a sus coches el nombre español de su hija Mercedes y [8] *después de todo* _____, tiene éxito y es superfamoso.

Enviado por Alucinado_23: *Zara*
¡Hola, hola! Yo te puedo contar de *Zara*. Mira, [9] *en resumidas cuentas* _____, Amancio Ortega, un pobre campesino crea en 1975 la primera tienda en A Coruña. Su objetivo es hacer prendas al alcance del público, [10] *en definitiva* _____, democratizar la moda. [11] *En todo caso* _____, Zorba fue el nombre que había pensado en un principio para su actual imperio que es, [12] *a fin de cuentas* _____, uno de los más ricos del mundo, sin embargo, ya estaba registrado.

Enviado por Increíble_23: *Coronita*
¡Hola a todos! Os voy a contar, [13] *en síntesis* _____, una cosa curiosa del nombre de la cerveza mexicana *Corona*. En España se llama *Coronita* porque el nombre *Corona* estaba registrado por los puros *Corona*. [14] *En conclusión* _____, la empresa tuvo que cambiarlo.

Messenger

LEO LA PRENSA, ES DECIR, EL PERIÓDICO.
CONECTORES EXPLICATIVOS: *OSEA...* Y
CONECTORES DE RECTIFICACIÓN:
MEJOR DICHO...

EMPIEZA SABIENDO LO QUE VAS ESTUDIAR:

> **Conectores explicativos:** *o sea, es decir, esto es, a saber, dicho de otro modo, dicho con otras palabras.*
> **Conectores de rectificación:** *mejor dicho, mejor aún, más bien.*

SE USAN PARA:

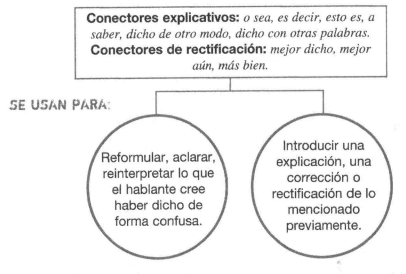

Reformular, aclarar, reinterpretar lo que el hablante cree haber dicho de forma confusa.

Introducir una explicación, una corrección o rectificación de lo mencionado previamente.

MEDIOS DE MASA SÍ, GRACIAS.

Lee con atención las intervenciones del foro.

MSN Messenger

FORO DE MEDIOS...

Enviado por Locutorcillo_089:
¡Hola a todos! Quisiera saber el concepto de *mass media*, **o sea**, *medios de comunicación colectiva o social*, pues tengo que hacer una reseña...

Enviado por Periodista_5:
El término *mass media* viene de *mass communication* «media», **dicho con otras palabras**, «medios de comunicación de masas», **a saber**, una entidad u organización que utiliza técnicas como la prensa, periódicos,

revistas, fotografías, carteles, publicidad, radio, televisión, e incluso Internet con páginas *web*, portales, blogs, para transmitir información de cualquier tipo. *Mejor aún*, se les llama «medios de masas» porque llegan a una gran cantidad de personas (masa) al mismo tiempo.

Enviado por Locutorcillo_089:
Vale, vale. Esa información que dan, *bueno*, es de actualidad, entretenimiento, etcétera. Con todo, no es suficiente para mí, *es decir*, necesito más cosas y, además, de España... Pero de la radio no necesito que ya la conozco.

Enviado por Hablador_30:
Hombre... Yo puedo decirte que la finalidad de los medios es, *más bien*, informar, entretener e influir con determinadas ideas a un público concreto que tiene acceso a ellos, pues aún no todo el mundo tiene Internet en casa, por ejemplo.

Enviado por Presentador_3:
Hola. De España puedo decirte que hay bastantes canales de televisión, *esto es*, 2 nacionales públicos: La Primera (TVE1) y La 2 (TVE2) que pertenecen, asimismo, a RTVE y emite, además, en digital: Clan TVE, 24 Horas y Teledeporte. Después hay privados: Antena 3, Telecinco, Cuatro, La Sexta... Y canales locales como Localia, Popular TV.

Enviado por Periodista_5:
Bueno, yo te puedo hablar de la prensa española, *dicho de otro modo*, de los periódicos de tirada nacional más destacados, *vamos*, ABC, El Mundo, El País, La Razón, La Vanguardia... Pero hay muchos más, *vamos que* son regionales, Heraldo de Aragón, Diario de Navarra... o gratis como Metro, Qué, 20 minutos...

Enviado por Hablador_30:
Se os olvidaba hablar de Internet. Hay plataformas de televisión por satélite, por cable o por ADSL, *mejor dicho*, son plataformas que no sólo te ponen en casa televisión sino también Internet y en España son: Imagenio, Jazztelia, WanadooTV y ONO.

Enviado por Locutorcillo_089:
Bueno, bueno... ¡Sabéis mogollón sobre el tema! Bien, voy a copiármelo todo, ¿vale? Muchísimas gracias a todos.Un abrazo y ya os contaré...

¡BUSCA, ENCUENTRA Y COMPARA!

Lee con atención las reglas.

! RECUERDA

Los conectores explicativos y de rectificación se usan en posición inicial (detrás de un punto y delante de una coma) y también en posición intermedia (entre comas). *A saber* es el único conector reformulador que se usa también en posición final.

O SEA / ES DECIR / ESTO ES / A SABER / DICHO DE OTRO MODO / DICHO CON OTRAS PALABRAS

Reformulan, aclaran, precisan, explican, rectifican lo que se ha querido decir anteriormente. Hacen hincapié o demuestran.

- *O sea / Es decir:* equivale a *como se ha dicho*.
- *Esto es:* equivale a *hay que destacar*. Explica o matiza con una expresión equivalente o semejante a la emitida.
- *A saber:* equivale a *vale la pena hacer hincapié*. Da comienzo a una enumeración, detalla y ejemplifica.
- *Dicho de otro modo / Dicho con otras palabras:* equivale a *dicho de otra manera*.

! OJO

O sea y *es decir:* aclaran introduciendo una nueva idea entendida como una consecuencia de lo dicho anteriormente: *o sea, + que; es decir, + que.*

! RECUERDA

O sea es de uso coloquial. *A saber* y *esto es* son de uso formal casi siempre escrito. *Es decir, dicho de otro modo, dicho con otras palabras* son de uso formal e informal.

MEJOR DICHO / MEJOR AÚN / MÁS BIEN

Sustituyen o rectifican una expresión emitida de forma no adecuada según el hablante por otra para corregirla, mejorarla o modificarla con otras palabras. A veces, *o + mejor dicho, mejor aún, más bien; Sino + más bien* en contraposición de dos términos para acompañar al que se considera más adecuado, sin serlo por completo.

- *Mejor dicho:* equivale a *rectificando*.
- *Mejor aún:* equivale a *sustituyendo lo anterior*.
- *Más bien:* equivale a *vale la pena corregir y decir que*.

[UNIDAD 9] *CONECTORES EXPLICATIVOS...*

Bueno y *vamos (que)* son dos conectores conversacionales, pero poseen este mismo valor de reformular con otras palabras.

─ACTIVIDADES ─

1 ¡CADA OVEJA CON SU PAREJA!
Lee atentamente el texto y escribe el conector adecuado según la indicación que se da entre paréntesis.

ENTENDER LA PUBLICIDAD

La publicidad es un sistema de comunicación que pone en relación productores con consumidores a través de los medios de comunicación de masas, [1] (Reformula, rectifica. Sinónimo de *dicho con otras palabras*) _____, es una industria cultural, una forma capitalista de propaganda, una forma de consumo, una cultura de masas. Sin embargo, la publicidad no es ni buena ni mala, es sólo un instrumento de comunicación informativo persuasiva, [2] (De uso formal y escrito. Explica o matiza con una expresión) _____, pretende convencer, seducir, manipular, inducir a la compra en los destinatarios. ¿Cómo? Pues bien, a través de la imagen, de los colores y de un buen eslogan, [3] (Reformula, rectifica. Sinónimo de *dicho de otro modo*) _____, mecanismos como gestos de los actores, un mensaje deseable y llamativo y usar un fantalenguaje, [4] (Precisa, explica. Sinónimo de *como se ha dicho*) _____, un lenguaje con el que el publicitario juega con la palabra, una lengua de vanguardia, avanzada, moderna, [5] (Sustituye lo que se ha dicho. A veces va acompañado de o) _____ una metapublicidad que permite que la publicidad hable exclusivamente de publicidad. Por ejemplo en español, los publicistas usan simplicidad con fórmulas populares: *KISS: Ponlo dulce y simple, Está en boca de pocos*; uso de rimas: *¿Qué hora es? La hora 103*; uso de la primera persona: *Porque yo lo valgo. L'Oreal*; oraciones sin verbo: *NESCAFÉ, el café, FANTA, FANTÁSTICO REFRESCO*. El color en una publicidad es una herramienta poderosa si se usa adecuadamente, [6] (De uso formal y escrito. Enumera, detalla, ejemplifica) _____ puede ayudar a la memoria a asociar el producto, pero eso sí, en un medio concreto, [7] (De uso coloquial. Aclara una idea) _____, la televisión, el ordenador y las revistas o fotografías a color. La televisión es un medio en el que las demostraciones son persuasivas y hace que los comerciales sean, [8] (A veces va acompaña-do de *sino*)_____ , entretenidos, divertidos y absorbentes. Además, el color nos ofrece un gran vocabulario de gran utilidad para la creación de un eslogan o para transmitir un buen mensaje. Así, los colores páli-dos implican libertad y despreocupación. En cambio, los colores sombríos, prudencia y sobriedad, [9] (Rectifica. A veces va acompañado de *o*)_____ el blanco se asocia con la pureza; el rojo con amor, sangre, peligro, furia; el negro con la elegancia o el luto; el verde con la esperanza, el amarillo con la sabiduría...

2 MÁS BIEN, ¡PONGAMOS PAZ!

Pon los signos de puntuación (comas, puntos...) correspondientes en cada conector en negrita.

EL LENGUAJE DE LOS PERIODISTAS

Me permito recoger en este humilde blog algunas frases periodísticas aportadas que son extraordinarias ocurrencias del gremio **dicho de otro modo** frases increíbles que no tienen ni pies ni cabeza si las analizas detenidamente. Así, por ejemplo, cuando escuchas frases como *Llama poderosamente la atención*, te preguntas: ¿Por qué la alu-sión al poder? **Dicho con otras palabras** me cuesta entender que algo no pueda, simplemente, llamar la atención; *Convengamos que* siempre va seguida, vaya a saber uno por qué, de la frase más obvia y evidente; *Así las cosas* es un frase hecha que si la piensas bien, no dice nada **mejor dicho** absolutamente nada, pero, vaya a saber uno la razón de su tan extendido uso por los periodistas; *Meteórico as-censo* **esto es** lo que se llama una paradoja. Hasta donde yo sé –corríjame un astrónomo si me equivoco– los meteoritos bajan **o sea que** no suben. Entonces, ¿cómo es eso de «meteórico ascenso»?; *Hoy por hoy* **es decir que** no basta con decir sólo «hoy»; *El muer-to fallecido*, redundancia que no es de uso común, pero se ha visto y oído o **mejor aún** en directo, micrófono en mano y la periodista del canal se despacha la frase. Publicado por *El que no aporta*.

Strange dijo...
Muy buena tu lista, pero has de reconocer que, además, los periodistas usan locuciones normales entendidas como clichés o sabiduría

popular. Por ejemplo, las locuciones como *estar con los brazos cruzados*, *como llovido del cielo* o *pagar con la misma moneda* no para comunicar **sino más bien** para alterar la opinión del público.

Tomás dijo...
«Mi google» me mandaba a entradas antiguas de la escuela de periodismo y hay un ramo en que se enseña a no llamar las cosas por sus sencillos nombres. Por eso, el periodista nunca puede decir morir en vez de fallecer **A saber** existe un manual de sinónimos elegantes, incluso, para los corresponsales dentro y fuera del país.

3 DICHO CON OTRAS PALABRAS, ¡VAMOS ALLÁ!

Completa con el conector más adecuado. Ojo, se puede utilizar más de un conector.

| Mejor aún | A saber | Dicho de otro modo | Esto es | Más bien |

| Mejor dicho | O sea | Es decir | Dicho con otras palabras |

JUAN VARELA, CONSULTOR DE MEDIOS DE COMUNICACIÓN

Periodista: ¿Cómo explicar qué es un blog?

J. Varela: En concreto, son diarios digitales personales o colectivos que han revolucionado la comunicación en la Red, [1] _____, son el primer formato de comunicación completamente nativo de Internet. [2] _____, el blog combina la capacidad de publicar información, opinión y contenidos multimedia de manera fácil y actualizada. De ahí, su carácter revolucionario: cualquiera puede publicar en el ciberespacio.

Periodista: ¿Qué importancia social tienen actualmente estos formatos en la Red?

J. Varela: Los blogs han expandido la idea de la información como conversación creando redes sociales y comunidades virtuales, (3) _____, los blogs son una revolución democrática de la información y la comunicación cívica.

Periodista: ¿Está repercutiendo la influencia de los blogs en la realidad informativa?

J. Varela: Los grandes medios producen grandes cantidades de información de calidad y relevante, pero en los blogs aparecen algunos elementos de gran interés, (4) _____, autores con gran conocimiento de los temas, pues aportan datos y juicios muy interesantes. Otro personaje de interés es el protagonista, (5) _____, gente cercana, testigos presenciales muy próximos a la información, que aportan esa visión ausente en el periodismo tradicional, (6) _____, una cercanía con un gran valor informativo en primera persona y esto es muchas veces imbatible.

Periodista: ¿Se percibe la importancia del cambio que se está dando con las nuevas tecnologías?

J. Varela: Todos los periodistas, editores y responsables de medios creo que están preocupados no por las nuevas tecnologías sino, (7) _____, por el negocio, por los cambios en la audiencia...

Periodista: ¿Conseguirán los medios de papel sobrevivir a Internet?

J. Varela: El papel sobrevivirá, pero el producto será distinto, (8) _____, el futuro está en productos de gran calidad en un soporte inigualable para la lectura, (9) _____, queda un prometedor futuro para los diarios gratuitos, que son la nueva prensa popular.

(Adaptado de: http://www.consumer.es/web/es/tecnologia/internet/2006/01/06/147911.php)

4 ¡LA PRUEBA DEL DELITO!

Coloca los conectores adecuados en función de los valores dados entre paréntesis.

Para:	Medios <comunicacion@unimundo.com>
De:	Internet<nuevastecnologias@blogspot.net>
Asunto:	Internet: un medio de comunicación revolucionario

Estimad@s cibernaut@s, (1) (*Rectificando*) _____, Estimados cibernautas:

Envío este texto sobre el nuevo vocabulario al que en todo el mundo nos enfrentamos en la nueva era de las tecnologías, (2) (*Como se ha dicho*) _____, con Internet. Además, en España es más difícil porque todo se traduce del inglés... Espero que os pueda ayudar. Saludos.

Empecemos por enviar un email o, (3) (*Dicho de otra manera*) _____, enviar un correo o, (4) (*Sustituyendo lo anterior*) _____, en el lenguaje coloquial enviar un emilio. ¿Cómo? A través de nuestra dirección de correo internáutico y virtual. Sigamos con el hacer un clik con el mouse en un link, (5) (*Como se ha dicho*) _____, pinchar en un vínculo o página *web* con el ratón del ordenador, no del compiuter. Todo esto sólo se puede hacer si tienes un módem o una Wi fi y, por supuesto, la Wireless, (6) (*Vale la pena hacer hincapié*) _____, la red virtual o red inalámbrica, pues sin ella no se accede a Internet y uno no puede ser denominado usuari@. Claro, todas estas palabras traducidas deben resultar para el resto del mundo, (7) (*Vale la pena corregir y decir que*) _____, un jeroglífico incomprensible, puesto que son términos ingleses... Aunque no todo es puro anglicismo. Volviendo al email o dirección, esta no existe sin el famoso símbolo @, (8) (*Hay que destacar*) _____, la arroba y, curiosamente procede del latín, de la palabra *Ad* que significa *hacia*, en inglés *At*. Asimismo, fue una popular medida de peso y volumen que tuvo su origen en Andalucía, influenciada tanto por la cultura latina como musulmana. De hecho, la palabra viene del árabe *Ar roub* o *Ar ruba*, que significa cuatro (una cuarta parte del quintal), (9) (*Dicho de otra manera*) _____, unidad de medida o precio unitario que usaba el símbolo @ como «abreviatura » que nació en la Edad Media, pues estaba muy de moda unir letras contiguas de una misma palabra. En suma, la arroba latina y la arroba informática son la misma cosa. Curioso, ¿no?

5 ¡EL MAR ESTÁ REVUELTO!
Lee atentamente y sustituye los conectores en negrita por otros sinónimos.

¡BIENVENIDOS AL CHAT AULA DE ESPAÑOL!
SALA DE CADENAS DE RADIO ESPAÑOLAS

#Sara#: ¡Hola! Soy una estudiante de español que tiene que hacer una exposición sobre las cadenas de radio españolas y sus locutores. ¿Vosotros sabéis algo?

#Fede#: Hola, yo conozco la COPE, [1] **esto es**, _____ Cadena de Ondas Populares Españolas y es una de las principales cadenas. Sus accionistas son la Conferencia Episcopal, las diócesis y órdenes religiosas como jesuitas y dominicos y, además, la ONCE, [2] **es decir** _____, Organización Nacional de Ciegos.

#Sara#: Hola Fede. Gracias por tu información. Sin embargo, es muy general, [3] **dicho con otras palabras**, _____ si está la Iglesia, entonces, los programas serán religiosos, ¿no?

#Fede#: No, hombre, no. [4] **A saber** _____. Algunos programas son de contenido religioso, en domingos y fechas señaladas. Con todo, es una cadena con programación de todo tipo.

#Juanito#: Hola a todos. Mira, Fede te has olvidado que la COPE posee otras cadenas, [5] **bueno**, _____ Cadena 100, que en los 80 tuvo a dos locutores muy famosos como Luis del Olmo y Encarna Sánchez. Es más, se convirtieron en la principal baza de audiencia de la cadena con los programas *Estado de la Nación* y *Encarna de Noche*.

#Sara#: ¿Y sabéis de otras cadenas?

#Ana#: Claro. En España, tenemos la SER, [6] **o sea** _____, Sociedad Española de Radiodifusión y es una de las cadenas más antiguas del país y con los mayores índices de audiencia, pues posee emisoras como Onda Cero y Kiss FM. Por sus micrófonos han pasado locutores famosos como Iñaki Gabilondo, Joaquín Prat...

#Sara#: Esperad un momentito que me lo voy a copiar todo. Por cierto, ¿algo más?

#Juanito#: Sí, tenemos la RNE, [7] **mejor aún** _____, Radio Nacional de España que pertenece hoy a Radiotelevisión Española (RTVE). Nació en plena Guerra Civil, adoptando el adjetivo «Nacional» del bando rebelde y se convirtió en un medio propagandístico que sería explotado por los dos bandos enfrentados.

#Fede#: ¡Qué fuerte! Yo sabía que Franco en 1939, otorgó únicamente a RNE la exclusiva de servicios, [8] **mejor dicho** _____, todas las emisoras, tanto públicas como privadas, debían conectar con RNE para transmitir sólo su misma información.

#Juanito#: Hombre, pero eso cambió con la llegada de la democracia. Ahora la RNE está compuesta por seis cadenas temáticas: Radio 1, que presenta un contenido, [9] **más bien** _____, generalista; Radio Clásica con conciertos y música clásica, así como Radio 3 pero, además, tiene contenidos culturales. Ràdio 4 que es autónoma, [10] **dicho de otro modo** _____, es emitida en catalán, Radio 5 que son 24 horas de noticias y Radio Exterior de España.

msn Messenger

¡PUES ME MOLA SER TAPEADOR!
REPASO DE CONECTORES

1 TAPAS SÍ, GRACIAS.

Lee y completa el siguiente texto asociando el tipo y valor (entre paréntesis) con uno de los conectores de los recuadros.

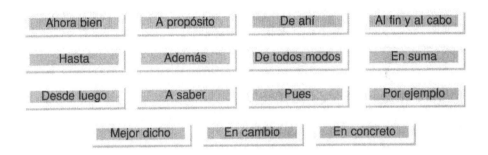

Ahora bien	A propósito	De ahí	Al fin y al cabo
Hasta	Además	De todos modos	En suma
Desde luego	A saber	Pues	Por ejemplo
Mejor dicho	En cambio	En concreto	

EL CULTO A LAS TAPAS

«¡Papeles y colillas al suelo, por favor!», «¡Patata y caña lo mejor de España!», mensajes en pizarras han marcado, (1) (*Aditivo*) _____, las vidas de los extranjeros que entran en estos variopintos lugares que, (2) (*Recapitulativo*) _____, aún preservan la ley que impuso Alfonso X, El Sabio hace más de 800 años, (3) (*Explicativo*) _____, prohibía beber vino si no era acompañado de algo de comida, jamones, quesos o chorizos servidos sobre los vasos de vino, «tapando» su cavidad. (4) (*Consecutivo*) _____, el nombre. Y luego se agregó el concepto de transitar de bar en bar, de taberna en taberna, para probar montaditos, pinchos, bocatas junto con una copa de vino. (5) (*Digresor*) _____, esta costumbre se bautizó con la expresión «irse de tapas» o «tapear». Para tapear se requieren varias claves: no tener mucha hambre, (6) (*Conversacional*) _____ el proceso es lento. (7) (*Aditivo*) _____, tener ganas de moverse, de conocer, de curiosear lo que se ofrece. (8) (*Contraargumentativo*) _____, hay que saber que en estos lugares hay que comer y beber de pie y la barra es fundamental. (9) (*Reformulativo*) _____, existen algunos consejos en libros de cocina española respecto de las tapas y, (10) (*Concreción*) _____, de cómo disfrutarlas.

Se dice, [11] *(Concrección)* _____, que el número ideal de personas son cuatro y el máximo es de seis. [12] *(Conversacional)* _____, cuatro es un número razonable y fácil de ubicar en espacios pequeños, [13] *(Contraargumentativo)* _____, seis ya es un número alto para pedir y decidirse. Se requiere, [14] *(Recapitulativo)* _____, de buenos compañeros de ruta. Otro de los guiños frecuentes que hacen de un tapeo algo verdadero es lo que los sevillanos llaman «convidá», [15] *(Rectificación)* _____, que cada cual pague una ronda en uno de los establecimientos al que se asiste.

(Adaptado de: http://www.quepasa.cl/medio/articulo/
0,0,38039290_101111578_113434841,00.html)

2 ¡BUSCA, ENCUENTRA Y COMPARA!

Completa el blog con el conector correspondiente a cada uno de los valores que se dan entre paréntesis.

¡DESDE LUEGO, VAYA SUEÑO!

El otro día me fui de tapas y vinos y me acosté un poquito borracho. [1] *(Consecuencia débil)* _____, soñé con un bar de tapas y unos guiris que me preguntaban el porqué de esta cosa tan española. En mi sueño, [2] *(Conclusión determinada)* _____, entendía y no entendía esa pregunta [3] *(Causa, o justificación)* _____, [4] *(Argumento fuerte implícito)* _____, estos extranjeros ahí estaban bien a gusto tapeando. [5] *(Contraposición. Refutación fuerte)* _____, observé que no estaban acostumbrados a este culto, [6] *(Hecho cierto y confirmado)* _____, pidieron la cuenta, sacaron bolis y calculadora y cada uno ponía el dinero de su consumición. [7] *(Consecuencia de hechos)* _____, decidí intervenir en mi sueño, el camarero se estaba poniendo de los nervios y les dije que eso en España no iba bien. [8] *(Conclusión en el lenguaje coloquial)* _____, que en ese momento me desperté con un resacón terrible y con la boca seca, [9] *(Información anterior con consecuencia)* _____, me fui a beber agua y recuerdo vagamente como seguía el sueño. [10] *(Conclusión contraria. A pesar de lo expuesto)* _____, sí que recuerdo que cuando me dormí otra vez, les decía que tenían que saber, [11] *(Especifica, ejemplifica)* _____, que estaba prohibido ir al baño a la hora de pagar pero que, [12] *(Tema ya mencionado que quita credibilidad)*, _____ siempre hay verdaderos especialistas en eso y que, [13] *(Con inclusión)* _____, se corresponden las visitas al Señor W.C. con las rondas o giros que se han de pagar. [14] *(Conclusión, resumen)* _____, me decían que no entendían, [15] *(Consecuencia subordinada)* _____ tuve que explicárselo con otras palabras, [16] *(Aclara con otras palabras)* _____, que les dije como si fuera un auténtico profesor, que la costumbre de pagar una ronda es que si uno pagaba una ronda, otro ha de pagar otra, [17] *(Precisa con otras palabras)* _____, que cada uno de ellos debía invitar una vez a los otros. Y, [18] *(Sentido concesivo)* _____, no sé por qué, si por mí, por lo de la ronda, por los del bar, se partían de la risa en mi sueño, [19] *(Aclara con otras palabras...)* _____. [20] *(Comentario secundario)* _____, me olvidaba explicaros el tipo de bar que era... [21] *(Conclusión no esperada)* _____, era un bar de unos cien años con mesas de mármol, camareros con bigotes blancos... Y, [22] *(Añade información con fuerza argumentativa)* _____ colgaba de la pared un cartel que decía: «No traigas a este lugar problemas. ¡Déjalos en casa estar! Este lugar es sólo de alegría y amigos». ¡Qué sueño tan alucinante! Publicado por Nacho.

3 mensajes en la botella:

Anónimo dijo...: ¡[23] *(Valoración, evidencia)* _____ taberna y sueño tan pintorescos! ¡[24] *(Explicación, aclaración)* _____ me han entrado ganas de irme a tapear con guiris!

Ingrid dijo...: [25] *(Réplica, crítica)* _____, yo no tengo por qué saber de tapas, [26] *(Evidencia, certeza)* _____, soy extranjera. [27] _____ *(Rectifica lo dicho)*, [28] *(Atenúa ciertas conclusiones)* _____, reconozco que tu texto me ha ayudado un poquito.

Bohemia dijo...: [29] *(Abre la conversación. Se repite)* _____, me ha hecho gracia todo, [30] *(Determina con detalles precisos)* _____, la descripción de ese bar y, [31] *(Añade una valoración personal de sorpresa)* _____, el domingo estuve en uno así, antiguo, con las mesas de mármol y los camareros parecían de otra época... [32] *(Conclusión, resumen)* _____, me sentí transportada en el tiempo.

(Adaptado de: http://enlaotradireccion.blogspot.com/2006/04/cunto-hemos-cambiado.html)

3 ¡CADA OVEJA CON SU PAREJA!

Lee atentamente y sustituye los conectores en negrita por otros sinónimos.

UNA DE CROQUETAS...

Juan: ¿Vamos de tapitas, gente?

Madre: (1) *Bueno* _____ tu padre y yo ahora sólo cenamos, tortillitas, ensalada...

Padre: Las croquetas del bar Pepe están riquísimas... (2) *Mujer* _____, vamos a picar algo que me muero de ganas...

Madre: (3) *Bueno* _____, (4) *vale* _____... (5) *Desde luego* _____... ¡Sois tremendos!

Juan: (6) *Vale* _____. (7) *Por cierto* _____, voy a llamar a Ramón para decirle que venga.

Ramón: Hola, Juan. Al final, ¿tapeamos?

Juan: Sí, vamos al Bar Pepe ese de las tapas con palillo que luego el camarero cuenta al final y saca la cuenta.

Ramón: (8) *Vale* _____. (9) *Entonces* _____ ¿has convencido a tus padres?

Juan: (10) *Por supuesto* _____. (11) *Bien* _____, (12) *bueno* _____ nos vemos allí en media horilla.

Irene: (13) *A propósito* _____, y yo, ¿qué? Me apetece una de huevo con gamba... (14) *Mira que* _____ no decirme nada... (15) *¡Hombre!* _____

Madre: (16) *Oye* _____, ya sabes que contamos contigo siempre y, (17) *encima* _____, te enfadas...

Irene: (18) *¡Vale, eh vale!* _____. (19) *A fin de cuentas* _____ habéis decidido ir a tapear sin contar conmigo y, (20) *además* _____, Juan ha llamado a Ramón para invitarlo... (21) *En fin...* _____

Comiendo tapas...

Madre: ¡Hola Ramón!

Ramón: Hola... ¿Ya estáis picando?

Padre: No venías, [(22)] *así que* _____ hemos empezado. ¿Te molesta?

Madre: [(23)] *A todo esto* _____, ¿qué te pedimos?

Ramón: [(24)] *Pues* _____, una cañita, un pimiento relleno y una anchoa salmuera.

Y, [(25)] *dicho sea de paso* _____, esta ronda la pago yo.

4 ¡PONGAMOS PAZ, HOMBRE!

Pon los signos de puntuación (comas, puntos...) correspondientes en cada conector.

¿EN QUÉ CONSISTE LA RUTA DE LA TAPA?

En concreto los establecimientos hosteleros de cada ciudad ofrecen a dos euros tapas que incluyen *hasta* una copa de vino *Por consiguiente* y para optar a los premios la ruta se deberá hacer en diez días

En cualquier caso con esta ruta no sólo se potencia una tradición a través del paladar, *sino además* se incrementa el turismo *Así pues* en cada ciudad, su Ayuntamiento y los mejores establecimientos de tapeo a los que *incluso* se pueden sumar otros, ponen en marcha la denominada Ruta de la Tapa *en definitiva* una iniciativa que parte con pretensiones modestas *eso sí* aspira al objetivo de dar a conocer la gastronomía española *es decir* la cultura culinaria del tapeo de una manera diferente. Cualquiera puede participar *pues al fin y al cabo* es una manera más de hacer turismo *En realidad* se busca *más bien* que el extranjero conozca la ciudad y que *encima* le haga quedarse algún día más *De ahí que* las opciones de degustación se incrementen *esto es* una ensaladilla con gambas, morcilla, croquetas, fritos **No obstante** la Ruta de la Tapa presenta **aparte de** la atractiva combinación entre bajo precio y variedad, la posibilidad de lograr premios **Por tanto** se deberá completar lo que se llama un pasaporte con sellos diferentes de cada establecimiento acogido a la ruta y en un plazo máximo de 10 días y **dicho sea de paso** valorando entre 1 y 10 puntos la «TapaCiudad» que entra a concurso con la idea de premiar la mejor tapa **Otra cosa** este pasaporte deberá ser recogido y entregado en la Oficina de Información Turística **Sin embargo** algunos locales han solicitado la posibilidad de entregarlo en su establecimiento **Asimismo** se optarán a diferentes premios como un fin de semana en un hotel **En síntesis** sólo pueden acceder a estos regalos quienes completen toda la ruta **A propósito** los hosteleros ven con expectación la iniciativa.

Por cierto para aquellos que quieran hacerla, hay que decir que si algún valiente piensa realizarla en una sola jornada, es mejor que desista **De todos modos** los diez días de plazo que se conceden es más que apropiado **Es más** es el tiempo justo para dedicarse a la actividad a lo largo de dos fines de semana **ahora bien** con una cierta moderación en cada jornada.

(Adaptado de: http://www.hoy.es/pg060331/prensa/noticias/
Merida/200603/31/HOY-LOC-006.html)

5 CON TODO, ¡VAMOS ALLÁ!
Lee y completa el texto con el conector más adecuado.

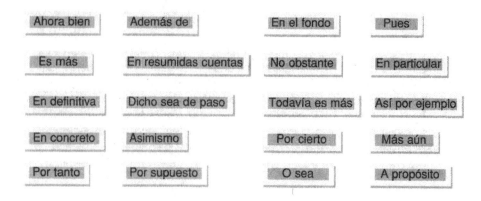

Ahora bien	Además de	En el fondo	Pues
Es más	En resumidas cuentas	No obstante	En particular
En definitiva	Dicho sea de paso	Todavía es más	Así por ejemplo
En concreto	Asimismo	Por cierto	Más aún
Por tanto	Por supuesto	O sea	A propósito

«QUIERO
QUE LA GASTRONOMÍA
FORME PARTE DE LA VIDA
DE LA GENTE»

Madrid.- ¿Quién es José Andrés? Este asturiano y discípulo de Ferrán Adriá es el chef más premiado de la costa atlántica de EE UU y, [1] _____, uno de los mejores restauradores del mundo. [2] _____, allí tiene tres locales de tapas. [3] _____ cocinar, trabaja en televisión. «[4] _____, traigo ideas frescas y nuevas. [5] _____, quiero que la gastronomía forme parte de la vida de la gente», dijo ayer sobre su programa en los medios.

¿Cuál va a ser la cocina con la que José Andrés intente cautivar a la audiencia? «Puedo hacer desde una receta de Ferrán Adriá hasta la de una ama de casa porque, [6] _____, conozco la cocina tradicional española, la cocina casera y también la cocina de autor. Yo sólo aspiro, [7] _____, a ser didáctico, a ser un buen comunicador y, hacer un buen programa. Las tapas son el vehículo que, [8] _____, me ha ayudado a vender la gastronomía española en EE UU, [9] _____, son una bandera y un estilo de vida. [10] _____, he creado un microespacio en el programa en el que todos los días prepararé una tapa en función de la región. [11] _____, del País Vasco haré unos pinchos de patata o cazuelitas de bacalao... De mi tierra, [12] _____ daré a conocer la bebida asturiana por antonomasia, la sidra, [13] _____ sin ella y sin su ruido al escanciarse no se entiende el tapeo y, [14] _____, no se puede hacer el mítico chorizo a la sidra. [15] _____, de Andalucía presentaré bocaditos de lomo, pescadito... De Valencia, [16] _____, la paella... De Galicia el marisco, [17] _____ el pulpo a feira... [18] _____, habría que mencionar el lacón gallego, esa carne de cerdo braseada aliñada con ese pimentón extremeño tan rico. Y, [19] _____, de Extremadura, haré esas magníficas tapas con morcón, lomo... Acercándonos a Aragón, daré a conocer la carne de ternasco y, [20] _____, el jamón de Teruel. Y qué decir de Navarra con su extraordinaria huerta y esos increíbles espárragos...», comentó José Andrés.

¡LA PRUEBA DEL DELITO!
Lee atentamente el correo electrónico y complétalo con la opción correcta.

Para:	Clientes <clientetapas@uniele.es>
De:	Camareros <camareros@tapas.es>
Asunto:	La vida de un camarero en un bar de tapas

Estimados clientes:

Envío este texto para que comprendan el duro trabajo de un pobre camarero mientras ustedes tapean gustosamente y con tranquilidad. Espero que nos comprendan.

¡Pasen al fondo, señores! ¡Al fondo hay sitio, [1] *vamos / bueno / en su mano!* Rafa está hasta las narices, [2] *sin embargo / de ahí que / otra cosa,* pertenece a esa raza de trabajadores de la hostelería que, [3] *o sea / de hecho / en cambio,* llevan el oficio en la sangre. [4] *Bien / Es decir / Incluso,* son las once de la noche e [5] *en todo caso / inclusive / oye* viernes y sigue entrando peña. [6] *Por eso / Vamos / Por el contrario,* un camarero le grita al otro: ¡Una de boquerones para la tres! ¡Y me falta el aperitivo para la cinco! [7] *Hasta / Más bien / Así que,* Rafa piensa: ¡Madre mía la que nos espera esta noche, [8] *en fin / en concreto / por ejemplo...!* [9] *Eso sí / Entonces / Más aún,* se hace con el mando del bar y grita: [10] *A todo esto / Oiga / En suma,* Carlos, sal de la barra y recoge. Buenas noches, ¿qué va a ser jóvenes? [11] *Miren / Con todo / A saber,* tenemos unos calamares muy buenos, sepia, chopitos, [12] *por tanto / no obstante / dicho con otras palabras,* lo que ustedes quieran... ¡Marchando tres cañitas y un mosto para la señorita! [13] *Más aún todavía / En cualquier caso / Vamos,* tenemos gambas con gabardina, croquetas... ¿Tienen bravas? [14] *Claro / Pues / Vale,* las mejores. ¡Marchando una de bravas! En la tele, el fútbol. En la barra discuten acaloradamente sobre política. Una vieja ludópata en la maquinita tragaperras... De repente, el tiempo se detiene. [15] *Además / Así pues / A fin de cuentas,* el camarero cierra los ojos, y por unos segundos piensa en su novia, la cuenta ahorro-vivienda en la que, [16] *en realidad / en conclusión / hombre,* no ha podido meter ni un euro, su padre enfermo... [17] *Dicho sea de paso / Con todo / En cambio,* disfruta de esos maravillosos segundos. De fondo se oye: ¡Otra de lo mismo! ¿Vienen esa bravas o qué? Rafa, [18] *en cambio / hasta / en particular,* no escucha, se desabrocha el delantal, lo dobla y lo deja encima de la barra llena de vasos, platos sucios, restos de comida, servilletas... [19] *A todo esto / Después de todo / Por consiguiente*, me merezco una pausa, pien-sa... [20] *En consecuencia / Mejor dicho / Mira*, se tira una caña, afeita la espuma y de un solo trago se la bebe. Luego, levantando la puerta del mos-trador y saludando a la peña que no le hace ni caso dice: Señores, buenas noches...

¡EL MAR ESTÁ REVUELTO!
Lee atentamente y completa con el conector más adecuado.

TAPEANDO, TAPEANDO

Silvia: [1] *(Escúchame)* _____, ¡[2] *(Date cuenta de que)* _____ buena pinta tiene todo!

Fran: [3] *(Evidentemente)* _____. [4] *(Escúcheme. Se repite)* _____, _____, Camareroooo.

Camarero: ¡Puf! Un momentito, ¿[5] *(De acuerdo)* _____? Esto está hasta los topes.

Fran: [6] *(Bien. De acuerdo. Se repite)* _____, _____. [7] *(En estas circunstancias / Entre tanto)* _____, ¿los otros? Dijimos a las nueve y aún no han venido.

Silvia: Ya sabes cómo son... [8] *(Resumiendo con resignación. Discurso oral)* _____...

Camarero: Aquí estoy ¿Qué van a tomar los señores?... [9] *(Forma apelativa. Asombro)* _____, Fran, ¡No te había visto con tanta gente! ¿Lo de siempre?

Fran: [10] *(Evidentemente)* _____... Una cañita para mí. ¿Tú qué te vas a pedir?

Silvia: [11] *(Respuesta reactiva)* _____ no sé... ¡Otra caña!

Camarero: Muy bien. ¿Alguna cosa para picar? Tenemos tapas, ra-ciones, montaditos...

Silvia: Mejor esperamos... [12] *(Viniendo al caso de lo dicho)* _____, acaban de llegar.

Fran: [13] *(Abre la conversación)* _____, ¿qué tal? ¿Unas ca-ñitas?

Silvia: Finalmente, llegáis... Enhorabuena, hoy no habéis tardado nada...

Antonio: ¡[14] (*Forma apelativa. Enfado*) _____, vaya forma de saludarme!

Nieves: Hola. Para mí un champú y, [15] (*Aprovechando la ocasión*) _____, un torrezno.

Silvia: [16] (*Acerca del tema*) _____, vaya camarero tan majo, ¿no?

Fran: Sí, pero [17] (*De todas formas*) _____, has de conocerlos para que sean serviciales.

Antonio: Mucho charlar y, [18] (*Resumiendo. Discurso oral*) _____, aquí sin pedir... Artista, por favor, ¿qué hay?

Camarero: Hay tapas especiales, [19] (*Ejemplifiquemos*) _____, croquetas de setas, langostino empanado, pimientos, torreznos... [20] (*Es decir, esto es*) _____, de todo.

Antonio: [21] (*Tome nota*) _____, para mí, una ración de croquetas. ¿Vosotros?

Nieves: Yo, [22] (*Contraste. Oposición débil*) _____, un par de torreznos.

Fran: Yo, [23] (*Sinónimo de en cambio / por el contrario*) _____ que tú, una tostada de salmón que las hacen de muerte y un montadito de ibérico.

Silvia: Y, [24] (*a lo dicho hay que añadir una segunda información de importancia*) _____, otra de salmón y dos de bacalao.

Camarero: [25] (*Cierra la conversación. De acuerdo*) _____. Tomo nota.

SOLUCIONARIO

UNIDAD 1

1. **¡CADA OVEJA CON SU PAREJA!**
   1. d. **2.** h. **3.** e. **4.** j. **5.** i. **6.** f. **7.** a. **8.** g. **9.** c. **10.** b.

2. **¡BUENO, PONGAMOS PAZ!**
   Acuerdo total: ¡Claro que sí!, ¡Hombre! ¡Cómo lo sabes!, Hombre, claro, ¡Desde luego, mujer! **Acuerdo parcial:** Pues bueno, pues vale..., Pues depende..., Mujer, no sé... **Desacuerdo total:** ¡Por supuesto que no!, ¡Vamos, hombre, qué dices!, Pero hombre, por favor... **Desacuerdo parcial:** Pues depende..., Hombre, si tú lo dices..., Mujer, no sé..., Bueno, bueno... Eso no es así.

3. **¡PUES VAMOS ALLÁ!**
   1. Bien. **2.** Bueno. **3.** claro. **4.** Bien. **5.** hombre. **6.** por supuesto. **7.** mujer. **8.** Pues. **9.** Pues. **10.** desde luego. **11.** Bien. **12.** Bueno.

4. **¡LA PRUEBA DEL DELITO!**
   1. Bueno. **2.** pues. **3.** Bien. **4.** por supuesto. **5.** bueno. **6.** pues. **7.** claro. **8.** bueno. **9.** desde luego. **10.** Mujer. **11.** Hombre. **12.** pues. **13.** bueno. **14.** hombre. **15.** Bueno. **16.** Pues. **17.** por supuesto. **18.** Pues. **19.** claro. **20.** Pues.

5. **¡EL MAR ESTÁ REVUELTO!**
   1. Hombre. **2.** Pues. **3.** Pues. **4.** bueno. **5.** mujer. **6.** claro. **7.** claro. **8.** Pues. **9.** Por supuesto. **10.** desde luego. **11.** Pues. **12.** mujer. **13.** bueno. **14.** Claro. **15.** Hombre. **16.** desde luego. **17.** Bien. **18.** pues. **19.** Hombre. **20.** Pues. **21.** Pues. **22.** Hombre. **23.** pues.

6. **¡BUENO... CUENTA EL CHISTE!**
   A. 1. Pues. **2.** bueno. **3.** Pero bueno. **4.** hombre. **5.** Pues. **6.** bueno. **B. 1.** Bien. **2.** pues. **3.** Claro. **4.** pues, qué bien. **C. 1.** Pues. **2.** por supuesto. **3.** Bien. **4.** Bueno. **5.** Pues. **D. 1.** bueno. **2.** hombre. **3.** bueno. **4.** Desde luego. **5.** Pues.

UNIDAD 2

1. **¡CADA OVEJA CON SU PAREJA!**
   1. j. **2.** f. **3.** b. **4.** g. **5.** e. **6.** a. **7.** i. **8.** d. **9.** h. **10.** c.

2. **OYE, OYE, ¡PERDIDOS NO!**
   1. Mire. **2.** vamos. **3.** vamos. **4.** Vale. **5.** Mire. **6.** vamos. **7.** Oiga. **8.** Vamos, vamos. **9.** Oye. **10.** Oiga. **11.** Vamos que. **12.** Vamos que. **13.** Vale bueno. **14.** Mire. **15.** vamos o sea. **16.** Vale. **17.** Oiga. **18.** Vamos. **19.** Vale. **20.** Vamos a ver.

3. **VALE YA, ¡PONGAMOS PAZ!**
   1. vamos / vamos es decir / vamos o sea. **2.** Mira / Oye. **3.** Vale. **4.** Oye. **5.** Vamos que. **6.** oye. **7.** vamos o sea / vamos / vamos es decir. **8.** Mira / Oye. **9.** va-

mos es decir / vamos o sea / vamos. **10.** vale. **11.** Oye que / Mira que. **12.** vamos. **13.** vamos que. **14.** ¡Vale, eh, vale! / ¡Ya vale! **15.** Vale. **16.** Mira / Oye. **17.** Vamos que. **18.** vamos / vamos es decir / vamos o sea. **19.** Pero vamos / Bueno vamos. **20.** ¡Vamos! / ¡Vamos, vamos!

4. **¡VAMOS, VAMOS ALLÁ!**
   1. oye. **2.** oye. **3.** Mira, **4.** vale. **5.** Oye. **6.** Mira. **7.** ¿vale? **8.** Vale. **9.** Oye. **10.** vamos, vamos.

5. **¡LA PRUEBA DEL DELITO!**
   1. Vale bueno. **2.** Oye que. **3.** ¿vale? **4.** Vamos que. **5.** mira. **6.** Pero vamos a ver. **7.** ¡Vamos, vamos! **8.** Mira. **9.** vamos, hombre. **10.** oye. **11.** Pero vamos. **12.** vamos.

6. **¡EL MAR ESTÁ REVUELTO!**
   1. Vamos. **2.** Oye. **3.** Oye. **4.** Vamos. **5.** vale. **6.** vamos. **7.** Mira. **8.** Vamos. **9.** vale. **10.** Mira. **11.** vamos. **12.** Vale, eh, vale. **13.** Mira. **14.** vale. **15.** Vamos, vamos. **16.** Oye. **17.** Vale. **18.** Mira. **19.** Vamos a ver.

UNIDAD 3

1. **¡CADA OVEJA CON SU PAREJA!**
   1. A propósito del. **2.** Por cierto. **3.** A todo esto. **4.** Dicho sea de paso. **5.** Otra cosa.

2. **A TODO ESTO, ¡PONGAMOS PAZ!**
   1. A propósito de. **2.** Por cierto (que). **3.** Dicho sea de paso. **4.** Otra cosa. **5.** A todo esto.

3. **¡LA PRUEBA DEL DELITO!**
   1. Por cierto que. **2.** A propósito de. **3.** A todo esto. **4.** Por cierto. **5.** A propósito. **6.** Otra cosa. **7.** Dicho sea. **8.** Dicho sea de paso.

4. **POR CIERTO, ¡A VER CUÁNTOS ENCUENTRAS!**
   1. Por cierto / A todo esto. **2.** Por cierto / Dicho sea de paso / A propósito. **3.** A propósito / A todo esto / Dicho sea de paso. **4.** Por cierto / A todo esto / A propósito. **5.** A propósito / Dicho sea / A todo esto.

5. **DICHO SEA DE PASO, ¡EL MAR ESTÁ REVUELTO!**
   1. Por cierto. **2.** A todo esto. **3.** por cierto. **4.** A propósito del. **5.** Por cierto que. **6.** Dicho sea de paso. **7.** Otra cosa. **8.** Dicho sea.

6. **A PROPÓSITO, ¡NO HAY SIGNOS!**
   1. Por cierto, (una coma detrás). **2.** A todo esto, (punto y seguido delante y una coma detrás). **3.** a propósito, (dos comas: una delante y otra detrás). **4.** dicho sea de paso, (dos comas: una delante y otra detrás). **5.** Por cierto que (es una frase que no necesita signos de puntuación). **6.** A propósito, (punto y seguido delante y una coma detrás). **7.** dicho sea (dos comas: una delante y otra de-

trás). **8.** A propósito del (es una frase que no necesita signos de puntuación). **9.** Por cierto, (punto suspensivos o bien punto y seguido delante y una coma detrás). **10.** a todo esto, (dos comas: una delante y otra detrás). **11.** Dicho sea de paso, (punto y seguido delante y una coma detrás). **12.** por cierto, (dos comas: una delante y otra detrás). **13.** Dicho sea, (punto suspensivos o bien punto y seguido delante y una coma detrás). **14.** Otra cosa, (punto suspensivos o bien punto y seguido delante y una coma detrás).

UNIDAD 4

1. ¡CADA OVEJA CON SU PAREJA!

1. Por consiguiente / Por tanto / Así pues / En consecuencia / de ahí que haya entrevistado a Zapatero. **2.** así pues / por tanto / por consiguiente / por ende / de ahí que fueran momentos de... **3.** Así pues / Por tanto / Por consiguiente / Por ende / De ahí. **4.** Así pues / Por tanto / Por consiguiente / Por ende / De ahí que visitara... **5.** así pues / por tanto / por consiguiente / en consecuencia / por ende / de ahí que encargara la retirada... **6.** así pues / por tanto / por consiguiente / en consecuencia / por ende / de ahí que haya creado el... **7.** así pues / por tanto / por consiguiente / en consecuencia / por ende. **8.** así pues / por tanto / por consiguiente / en consecuencia / por ende.

2. POR CONSIGUIENTE, ¡PONGAMOS PAZ!

1. La Guerra Civil Española sirvió de campo de pruebas para las potencias del Eje y la Unión Soviética, *por tanto / por consiguiente / así pues / así que* ha sido considerada como el preámbulo de II la Guerra Mundial. **2.** Las principales potencias democráticas de Europa, Francia y Gran Bretaña no se mantuvieron neutrales. *Por eso / Así pues / Por tanto / Por consiguiente / Por ende*, apoyaban a la causa republicana. **3.** La Guerra Civil Española fue una guerra total en la que ambos bandos se volcaron con todos los recursos disponibles, *por (lo) tanto / en consecuencia / por consiguiente / así que*, cualquier ayuda era poca. **4.** Hubo ejecuciones, resentimiento entre perdedores y vencedores con un número de muertos en la Guerra Civil española muy alto. *En consecuencia / Así pues / Por ende / Por consiguiente / Por tanto / De ahí,* fue sin duda el terror, la represión y el empobrecimiento material e intelectual del país lo que España vivió en dicha época. **5.** El programa de reformas emprendido por el nuevo régimen democrático asumía gran parte del proyecto reformador de la II República. *Por ende / Por consiguiente / Así pues / Por tanto / En consecuencia*, con la llegada de la democracia, a partir de la muerte de Franco, el bando perdedor se sintió reivindicado.

3. POR TANTO, ¡VAMOS ALLÁ!

1. Por consiguiente. **2.** por tanto. **3.** de ahí que. **4.** así que. **5.** en consecuencia. **6.** Así pues. **7.** Entonces. **8.** por ende.

4. ¡LA PRUEBA DEL DELITO!

1. Así por ejemplo. **2.** Así pues. **3.** Por tanto. **4.** Por eso. **5.** así que. **6.** Entonces. **7.** En consecuencia. **8.** De ahí que.

5. ASÍ PUES, ¡A VER CUÁNTOS ENCUENTRAS!

Por consiguiente: así, así pues, por tanto, en consecuencia, por ende, de ahí. Se pueden usar también por ello / eso y entonces, pero el texto dejaría el uso y valor de un registro formal por conversacional, coloquial, es decir, formal.

6. Y ASÍ, ¡EL MAR ESTÁ REVUELTO!

1. por consiguiente, (dos comas una delante y una detrás). **2.** de ahí, (dos comas una delante y una detrás). **3.** En consecuencia, (un punto y seguido delante y una coma detrás). **4.** Por ende, (un punto y seguido delante y una coma detrás). **5.** por lo tanto, (dos comas una delante y una detrás). **6.** Por ello, (un punto y seguido delante y una coma detrás). **7.** Así que, (dos puntos delante y una coma detrás). **8.** de ahí que, (una coma delante). **9.** por eso, (dos comas una delante y una detrás). **10.** Entonces, (un punto y seguido delante y una coma detrás). **11.** por tanto, (dos comas una delante y una detrás). **12.** así pues, (dos comas una delante y una detrás).

UNIDAD 5

¡BUSCA, ENCUENTRA Y COMPARA!

RECUERDA: **En cambio** y **por el contrario** van en posición inicial e intermedia, entre comas, tras un punto y seguido y antes de una coma. **Ahora bien** y **con todo** van solo en posición inicial tras un punto y delante de una coma. **Eso sí**, va en la misma posición que **ahora bien** y **con todo**, pero a veces se puede usar en posición intermedia cuando va acompañada de **pero**. **No obstante** y **sin embargo** van en posición inicial, intermedia y final, entre comas, tras un punto y seguido y antes de una coma, tras una coma y punto final.

1. ¡CADA OVEJA CON SU PAREJA!

1. En cambio. **2.** Ahora bien. **3.** no obstante. **4.** Con todo lo dicho. **5.** Eso sí. **6.** al contrario. **7.** No obstante. **8.** Sin embargo. **9.** En cambio. **10.** por el contrario. **11.** Con todo. **12.** Ahora bien. **13.** en cambio. **14.** Eso sí.

2. CON TODO, ¡PONGAMOS PAZ!

1. a. **2.** b. **3.** a. **4.** c. **5.** a. **6.** b. **7.** c. **8.** b.

3. ¡PERO VAMOS ALLÁ O NO!

Correctas: **1.**, **3.**, **5.** y **7.** Incorrectas: **2.** Adoro a los toreros, aunque, no obstante maten a un precioso animal como el toro. **4.** Juan va a la plaza de toros y, sin embargo / en cambio, Alicia no. **6.** Adoro a los toreros, sin embargo / no obstante, matan al toro de una forma cruel. / Adoro a los toreros. Ahora bien / Con todo / Eso sí, matan al toro de una forma cruel. **8.** Adoro los toros. Eso sí / Ahora bien / Sin embargo / No obstante, no es justo que los toreros los maten tan cruelmente.

4. ¡LA PRUEBA DEL DELITO!

1. Con todo. **2.** No obstante. **3.** en cambio. **4.** con todo. **5.** al contrario. **6.** Pero. **7.** Ahora bien. **8.** Eso sí. **9.** sin embargo. **10.** Por el contrario.

5. ¡NO HAY PEROS QUE VALGAN!

1. Ahora bien. **2.** En cambio / Sin embargo / Por el contrario. **3.** no obstante / eso sí. **4.** Sin embargo / Ahora bien / Eso sí. **5.** no obstante / con todo. **6.** Con todo / Ahora bien. **7.** en cambio / sin embargo / por el contrario. **8.** Ahora bien / No obstante.

6. AUNQUE EL MAR ESTÉ REVUELTO...

1. No obstante, (puntos suspensivos o punto y seguido delante y una coma detrás). **2.** pero, (una coma delante). **3.** sin embargo, (dos comas: una delante y una detrás). **4.** Eso sí, (puntos suspensivos o punto y seguido delante y una coma detrás). **5.** Ahora bien, (Punto y seguido delante y una coma detrás). **6.** Pero, eso sí, (dos comas: una delante y una detrás). **7.** en cambio, (dos comas: una delante y una detrás). **8.** Aunque, por el contrario, (dos comas: una delante y una detrás). **9.** con todo, (dos comas: una delante y una detrás). **10.** Sin embargo, (punto y seguido delante y una coma detrás).

UNIDAD 6

1. ¡CADA OVEJA CON SU PAREJA!

1. en concreto / en particular. **2.** en el fondo / en realidad. **3.** de hecho. **4.** Así, por ejemplo. **5.** En particular / En concreto. **6.** por ejemplo. **7.** En realidad / En el fondo.

2. EN EL FONDO, ¡PONGAMOS PAZ!

1. Por ejemplo. **2.** de hecho. **3.** en el fondo. **4.** en concreto. **5.** en particular. **6.** en realidad.

3. ¡VAMOS ALLÁ, POR EJEMPLO!

1. En concreto. **2.** De hecho. **3.** En particular. **4.** en realidad. **5.** en el fondo. **6.** Así. **7.** por ejemplo. **8.** por ejemplo.

4. ¡LA PRUEBA DEL DELITO!

1. en particular / en concreto. **2.** Así, por ejemplo. **3.** De hecho. **4.** en realidad. **5.** en concreto / en particular. **6.** en el fondo / en realidad.

5. ¡EL MAR ESTÁ REVUELTO!

1. en realidad / de hecho. **2.** en realidad / en el fondo. **3.** Así, por ejemplo. **4.** en concreto. **5.** en el fondo / de hecho. **6.** en realidad / en el fondo.

UNIDAD 7

1. ¡CADA OVEJA CON SU PAREJA!

1. Encima. **2.** Hasta. **3.** Más aún todavía, Es más, aún es más. **4.** Asimismo. **5.** Además, además de. **6.** Aparte, aparte de. **7.** Incluso (de) / Inclusive.

2. **ES MÁS, ¡PONGAMOS PAZ!**
   1. Aparte. **2.** hasta. **3.** inclusive. **4.** Asimismo. **5.** e incluso. **6.** encima de. **7.** Es más. **8.** aún es más.

3. **APARTE DE TODO, ¡VAMOS ALLÁ!**
   1. Más aún, (puntos suspensivos y una coma detrás). **2.** Aparte de, (no se añade ningún signo de puntuación). **3.** Inclusive, (puntos suspensivos y una coma detrás). **4.** Asimismo, (punto y seguido delante y una coma detrás). **5.** Aún es más, (punto y seguido delante y una coma detrás). **6.** hasta, (dos comas: una delante y una detrás). **7.** encima, (dos comas: una delante y una detrás). **8.** además, (dos comas: una delante y una detrás). **9.** incluso, (dos comas: una delante y una detrás). **10.** Es más, (punto y seguido delante y una coma detrás).

4. **¡LA PRUEBA DEL DELITO!**
   1. Aparte de. **2.** Asimismo. **3.** encima. **4.** Es más. **5.** Más aún todavía. **6.** hasta. **7.** inclusive. **8.** además. **9.** incluso.

5. **¡EL MAR ESTÁ REVUELTO!**
   1. asimismo. **2.** Aparte de. **3.** incluso. **4.** más aún. **5.** Todavía es más. **6.** inclusive. **7.** además. **8.** hasta. **9.** Es más. **10.** encima.

UNIDAD 8

1. **¡CADA OVEJA CON SU PAREJA!**
   1. En fin. **2.** Total. **3.** en suma. **4.** En cualquier caso. **5.** al fin y al cabo. **6.** en definitiva. **7.** En resumen. **8.** de todos modos. **9.** En síntesis. **10.** en resumidas cuentas. **11.** después de todo. **12.** a fin de cuentas. **13.** En todo caso. **14.** En conclusión.

2. **EN FIN, ¡PONGAMOS PAZ!**
   1. En fin. **2.** de todos modos. **3.** En todo caso. **4.** después de todo. **5.** a fin de cuentas. **6.** En resumen. **7.** al fin y al cabo. **8.** en definitiva. **9.** En síntesis. **10.** En cualquier caso. **11.** en resumidas cuentas. **12.** En suma. **13.** total. **14.** En conclusión.

3. **EN CUALQUIER CASO, ¡VAMOS ALLÁ!**
   1. después de todo, (dos comas: una delante y otra detrás). **2.** En conclusión, (puntos suspensivos delante y una coma detrás). **3.** En cualquier caso, (punto y seguido delante y una coma detrás). **4.** a fin de cuentas, (dos comas: una delante y otra detrás). **5.** de todos modos, (dos comas: una delante y otra detrás). **6.** en suma, (dos comas: una delante y otra detrás). **7.** En fin, (punto y seguido delante y una coma detrás). **8.** En resumidas cuentas, (punto y seguido delante y una coma detrás). **9.** al fin y al cabo, (dos comas: una delante y otra detrás). **10.** en síntesis, (dos comas: una delante y otra detrás). **11.** En todo caso, (punto y seguido delante y una coma detrás). **12.** en definitiva, (dos comas: una delante y otra detrás). **13.** Total que, (punto y seguido delante y una coma detrás). **14.** En resumen, (punto y seguido delante y una coma detrás).

4. ¡LA PRUEBA DEL DELITO!
1. en resumidas cuentas. **2.** En cualquier caso. **3.** al fin y al cabo. **4.** De todos modos. **5.** En fin. **6.** Total. **7.** a fin de cuentas. **8.** En todo caso. **9.** después de todo. **10.** en síntesis. **11.** En conclusión.

5. ¡EL MAR ESTÁ REVUELTO!
1. Total. **2.** En síntesis. **3.** En todo caso / De todos modos. **4.** a fin de cuentas / después de todo. **5.** En cualquier caso / En todo caso. **6.** en conclusión / en suma / en síntesis. **7.** En fin. **8.** en definitiva / a fin de cuentas / al fin y al cabo. **9.** en resumen / en conclusión / en suma / en síntesis. **10.** a fin de cuentas / al fin y al cabo / después de todo. **11.** En cualquier caso / De todos modos. **12.** en definitiva / al fin y al cabo / después de todo. **13.** en suma. **14.** En resumen / En suma / En síntesis.

UNIDAD 9

1. ¡CADA OVEJA CON SU PAREJA!
1. dicho de otro modo. **2.** esto es. **3.** dicho con otras palabras. **4.** es decir. **5.** mejor aún. **6.** a saber. **7.** o sea. **8.** más bien. **9.** mejor dicho.

2. MÁS BIEN, ¡PONGAMOS PAZ!
1. dicho de otro modo, (dos comas, delante y detrás). **2.** Dicho con otras palabras, (una coma detrás). **3.** mejor dicho, (dos comas, delante y detrás). **4.** esto es, (dos comas, delante y detrás). **5.** o sea, que (dos comas, delante y detrás). **6.** es decir, que (dos comas, delante y detrás). **7.** mejor aún, (dos comas, delante y detrás). **8.** sino, más bien, (dos comas, una delante y otra detrás). **9.** A saber, (punto y seguido y coma detrás).

3. DICHO CON OTRAS PALABRAS, ¡VAMOS ALLÁ!
1. es decir / esto es / dicho de otro modo / dicho con otras palabras. **2.** Dicho de otro modo / Dicho con otras palabras. **3.** mejor dicho / mejor aún. **4.** esto es / es decir / o sea. **5.** o sea / es decir / esto es. **6.** dicho con otras palabras / dicho de otro modo / es decir / esto es. **7.** más bien. **8.** a saber / es decir / esto es / dicho con otras palabras / dicho de otro modo. **9.** mejor aún / mejor dicho.

4. ¡LA PRUEBA DEL DELITO!
1. o mejor dicho. **2.** es decir. **3.** dicho con otras palabras. **4.** mejor aún. **5.** o sea. **6.** a saber. **7.** más bien. **8.** esto es. **9.** dicho de otro modo.

5. ¡EL MAR ESTÁ REVUELTO!
1. o sea / es decir / bueno / mejor dicho / mejor aún. **2.** esto es / o sea / dicho con otras palabras / vamos / mejor dicho / mejor aún. **3.** dicho de otro modo / es decir / o sea / esto es / vamos que / mejor dicho / mejor aún. **4.** Bueno / Vamos / Esto es. **5.** a saber / o sea / es decir / esto es / vamos / mejor dicho / mejor aún. **6.** es decir / esto es / dicho con otras palabras / dicho de otro modo / bueno / vamos / mejor dicho / mejor aún. **7.** mejor dicho / es decir /esto es /

o sea / vamos / bueno / dicho con otras palabras / dicho de otro modo. **8.** mejor aún / es decir / esto es / o sea / a saber / dicho con otras palabras / dicho de otro modo / vamos que. **9.** bueno / vamos. **10.** dicho con otras palabras / es decir / esto es / o sea / vamos que.

UNIDAD 10

1. **TAPAS SÍ, GRACIAS.**
   1. hasta. **2.** al fin y al cabo. **3.** a saber. **4.** De ahí. **5.** A propósito. **6.** pues. **7.** Además. **8.** Ahora bien. **9.** De todos modos. **10.** en concreto. **11.** por ejemplo. **12.** Desde luego. **13.** en cambio. **14.** en suma. **15.** mejor dicho.

2. **¡BUSCA, ENCUENTRA Y COMPARA!**
   1. Entonces. **2.** de todos modos. **3.** pues. **4.** en el fondo. **5.** No obstante. **6.** de hecho. **7.** En consecuencia. **8.** Total. **9.** por eso. **10.** Con todo. **11.** por ejemplo. **12.** en todo caso. **13.** inclusive. **14.** En conclusión. **15.** así que. **16.** o sea. **17.** dicho con otras palabras. **18.** bueno. **19.** a saber. **20.** Por cierto. **21.** En fin. **22.** aún es más. **23.** Desde luego que. **24.** Vamos que. **25.** Mira. **26.** claro. **27.** Pero bueno. **28.** eso sí. **29.** Bueno, bueno. **30.** en particular. **31.** encima. **32.** En resumen.

3. **¡CADA OVEJA CON SU PAREJA!**
   1. Hombre, pues no / (Pues) claro que no / Por supuesto que no / Desde luego que no. **2.** Hombre / Vamos / Oye. **3.** Vale / Bien. **4.** bueno. **5.** En fin / Mira que. **6.** Bueno / Claro / Desde luego / Por supuesto. **7.** A propósito / A todo esto. **8.** bien / bueno. **9.** Así que / Así pues. **10.** Claro / Desde luego. **11.** Vale / Bueno / Pues. **12.** bien / vale / pues. **13.** Por cierto / A todo esto. **14.** Desde luego que / Vamos, vamos / Vale, vale / En fin. **15.** Vale, eh, vale / En fin / Desde luego. **16.** Mira / Vamos a ver. **17.** además / hasta / e incluso. **18.** Bueno, bueno / Ya vale / Pues qué bien. **19.** En definitiva / Al fin y al cabo. **20.** encima / hasta / incluso / inclusive. **21.** Desde luego. **22.** entonces / así pues / por eso/ello. **23.** A propósito / Por cierto. **24.** Bueno / Vale / Bien. **25.** otra cosa / por cierto.

4. **¡PONGAMOS PAZ, HOMBRE!**
   1. En concreto, (una coma detrás). **2.** hasta, (dos comas: una delante y otra detrás). **3.** Por consiguiente, (punto y seguido delante y una coma detrás). **4.** En cualquier caso, (una coma detrás). **5.** sino, además, (dos comas: una delante y otra detrás). **6.** Así pues, (punto y seguido delante y una coma detrás). **7.** incluso, (dos comas: una delante y otra detrás). **8.** en definitiva, (dos comas: una delante y otra detrás). **9.** eso sí, (dos comas: una delante y otra detrás). **10.** es decir, (dos comas: una delante y otra detrás). **11.** pues, al fin y al cabo, (dos comas: una delante y otra detrás). **12.** En realidad, (punto y seguido delante y una coma detrás). **13.** más bien, (dos comas: una delante y otra detrás). **14.** encima, (dos comas: una delante y otra detrás). **15.** De ahí que, (punto y seguido delante). **16.** esto es, (dos comas: una delante y otra detrás). **17.** No obstante, (puntos suspensivos o bien punto y seguido delante y una coma de-

trás). **18.** aparte de, (una coma delante). **19.** Por tanto, (punto y seguido delante y una coma detrás). **20.** dicho sea de paso, (dos comas: una delante y otra detrás). **21.** Otra cosa, (una coma detrás). **22.** Sin embargo, (punto y seguido delante y una coma detrás). **23.** Asimismo, (punto y seguido delante y una coma detrás). **24.** En síntesis, (punto y seguido delante y una coma detrás). **25.** A propósito, (punto y seguido delante y una coma detrás). **26.** Por cierto, (una coma detrás). **27.** De todos modos, (punto y seguido delante y una coma detrás). **28.** Es más, (punto y seguido delante y una coma detrás). **29.** ahora bien, (dos comas: una delante y otra detrás).

5. CON TODO, ¡VAMOS ALLÁ!

1. en particular. **2.** A propósito. **3.** Además de. **4.** En resumidas cuentas. **5.** Es más. **6.** en el fondo. **7.** no obstante. **8.** en definitiva. **9.** todavía es más. **10.** Por tanto. **11.** Así por ejemplo. **12.** en concreto. **13.** pues. **14.** más aún. **15.** Por cierto. **16.** por supuesto. **17.** o sea. **18.** Ahora bien. **19.** dicho sea de paso. **20.** asimismo.

6. ¡LA PRUEBA DEL DELITO!

1. vamos. **2.** sin embargo. **3.** de hecho. **4.** Bien. **5.** inclusive. **6.** Por eso. **7.** Así que. **8.** en fin. **9.** Entonces. **10.** A todo esto. **11.** Miren. **12.** dicho con otras palabras. **13.** Más aún todavía. **14.** Claro. **15.** Así pues. **16.** en realidad. **17.** Con todo. **18.** en cambio. **19.** Después de todo. **20.** En consecuencia.

7. ¡EL MAR ESTÁ REVUELTO!

1. Oye. **2.** Mira que. **3.** Por supuesto / Claro / Desde luego. **4.** Oiga, Oiga. **5.** vale. **6.** Vale, vale. **7.** A todo esto. **8.** En fin. **9.** Hombre. **10.** Claro / Por supuesto / Desde luego. **11.** Pues. **12.** Por cierto. **13.** Bueno. **14.** Mujer / Hombre. **15.** dicho sea de paso. **16.** A propósito. **17.** de todos modos. **18.** total. **19.** por ejemplo. **20.** Vamos / O sea / Dicho con otras palabras / Dicho de otro modo. **21.** Mire. **22.** en cambio. **23.** al contrario. **24.** además. **25.** Bien.